대화가 술술 풀리는 경청의 5가지 기술

김영의

대화가 술술 풀리는 경청의 5가지 기술

발행	2024년 7월 24일
저자	김영의
디자인	김영의
편집	김영의
펴낸이	송태민
펴낸곳	열린 인공지능
등록	2023.03.09(제2023-16호)
주소	서울특별시 영등포구 영등포로 112
전화	(0505)044-0088
이메일	book@uhbee.net
ISBN	979-11-94006-35-0

www.OpenAIBooks.com

대화가 술술 풀리는
경청의 5가지 기술

김영의

"사람은 두 귀와 한 입을 가지고 태어났다.
그것은 우리가 말하는 것보다
두 배 많이 들어야 한다는 것을 의미한다."
- 에픽테토스-

-책 목차

프롤로그: 경청, 대화의 핵심을 찾아서

제1장. 경청의 첫 번째 기술: 마음을 열고 귀 기울이기

　1-1. 경청의 힘: 대화를 변화시키는 열쇠

　1-2. 진정한 경청의 의미와 중요성

　1-3. 경청 장벽 극복하기: 마음의 문을 여는 법

1-4. 일상에서 경청을 실천하는 간단한 방법

1-5. 일상에서 잘 듣기를 쉽게 적용하는 방법

제2장. 경청의 두 번째 기술: 비언어적 신호 읽기

　2-1. 얼굴 표정이 전하는 메시지 이해하기

　2-2. 상대방의 몸짓과 제스처 해석하기

　2-3. 비언어적 신호를 활용한 공감 능력 향상

　2-4. 비언어적 신호 읽기 연습을 위한 팁

제3장. 경청의 세 번째 기술: 공감과 감정 조절

3-1. 공감의 중요성: 상대방의 감정 이해하기

3-2. 경청을 방해하는 요소: 선입견과 판단

3-3. 감정 조절의 기술: 감정에 끌려가지 않는 기술

3-4. 다양한 문화 속 경청 방식의 차이 알기

제4장. 경청의 네 번째 기술: 마음속 대화 알아채기

4-1. 잘 듣는 사람의 심리: 인내, 집중, 이해

4-2. 경청하지 못하는 사람의 내면: 방어와 불안

4-3. 말하기와 듣기의 미묘한 심리적 균형

4-4. 경청에 최적화된 마음가짐 만들기

제5장. 경청의 다섯 번째 기술: 연습과 습관

5-1. 가족과의 대화: 경청 실천의 첫걸음

5-2. 감사를 표현하며 관계 속 경청 강화하기

5-3. 일상의 다양한 상황에서 경청 연습하기

5-4. 지속적인 노력과 피드백으로 경청 능력 기르기

에필로그: 경청으로 열리는 새로운 대화의 세계

"사람은 두 귀와 한 입을 가지고 태어났다.

그것은 우리가 말하는 것보다

두 배 많이 들어야 한다는 것을 의미한다."

- 에픽테토스 -

"현명한 사람은 귀가 길고 혀는 짧다."

- 독일 속담 -

-사람들은 듣기 보다 자신에 대해 이야기하는 것을 좋아한다-

프롤로그

경청, 대화의 핵심을 찾아서

이 책을 쓰게 된 이유:

대화가 술술 풀리고, 인생이 술술 풀리는 경청의 기술에 대해서
함께 나누고 실천하고 싶었습니다.

"어머! 시간이 벌써 이렇게 되었네?"

"내일 출근해야 하는데 아직 하고 싶은 말은 많고 어떡하지?"

"다음에 또 얘기하고 오늘은 우리 그만 자도록 하자!"

친구와 수다를 떨고 있는 걸까요? 애인과 통화를 하고 있는 걸까요?

아이들과 대화를 하고 토론을 하면서 자주 있는 일입니다. 마찬가지로 배우자와 이야기를 하다 보면 가끔은 시간 가는 줄 모르고 두 세 시간이 훌쩍 넘어가곤 합니다. 서로의 고민을 들어주고 관심을 갖고 있는 주제로 이야기를 하다 보면 시간이 정말 빠르게 지나갑니다. 처음부터 그랬던 것은 아닙니다.

저는 15년 동안 고객 상담 업무를 했습니다. 오랫동안 상담 업무를 하면서 수많은 고객을 만나보았습니다. 그 과정에서 대화에 있어 가장 중요한 요소가 바로 '듣기'라는 것을 깨달았습니다. 두 자녀가 성인이 되고 직장인이 되기까지의 과정에서도 '듣기'가 얼마나 중요한 것이었는지 많은 시행착오를 통해 깨닫게 되었습니다. 배우자와의 관계에서는 두말할 것도 없었습니다. 당연히 상담 업무를 배우는 처음부터 "듣기"가 중요하다고 수없이 듣고 강조했지만 진심으로 뼛속까지 느끼지는 못했던 것 같습니다. 생활속에서 실천이 잘 안되었기 때문입니다.

잘 듣는다는 것은 매우 쉽게 들립니다. 그런데 나는 아이들이 사춘기를 겪을 때 특히 듣기를 잘 하지 못했습니다. 나와 의견이 다를 때는 중간에 말을 끊는 경우도 많았고, 아이가 말을 할 때 그 말에 집중하기 보다는 내가 하고 싶은 말을 생각하고 있었 던 적도 많았습니다. 그러다 보니 내 생각을 강요하게 되고 아이의 의견을 반박하게 되는 경우가 자주 발생하게 되어 결국은 말다툼으로 이어지는 경우가 많았습니다.

말을 많이 하는 직업이라서 그랬을까요? 배우자와의 대화에서도 남편의 말을 듣기 보다는 주로 내가 더 말을 많이 했습니다. 나와 의견이 다르면 남편이 답답하게 느껴졌습니다. '왜 내 말을 이해하지 못할까? '왜 내 말을 들어주지 않을까?' 라 고 생각하고 마음 상해했었습니다. 대화하는 중간에 상대가 화가 나서 "그만 하자" "나중에 애기하자" 라 고 하는 말을 매우 싫어 했습니다. 그런 말을 들을 때면 더 화가 나고 마음에 상처를 받는 느낌이 들었습니다.

상담을 직업으로 하는데도 왜 일상생활에서는 대화가 잘 안되는지 답답하고 궁금했습니다. 아이들과 남편과 도란도란 이야기를 나누며 소소한 대화로 웃고 행복하게 살고 싶다는 생각이 간절했습니다. 특히 아이들이 사춘기때 방문을 닫고 나오지 않을 때 그 서운함 이란 이루 말할 수 없었습니다. 마음의 문을 열고 방문을 스스로 열고 나와 시시콜콜한 애기도 나누고 싶고 조언을 구하고 싶은 그런 엄마가 되고 싶었습니다.

당연히 겪을 수밖에 없는 시행착오와 후회들이 있었기에 방법을 찾고 또 찾고 연구하게 되었습니다. 여러분은 큐브를 순식간에 맞추는 것을 본적이 있을 겁니다. 저도 아이들에게 큐브를 사준 적이 있었습니다. 처음에는 신기하고 호기심에 낑낑 대고 힘들게 맞추더니 어느 순간 공식을 찾아서 그걸 종이에 적어서 보고 맞추더군요.

혼자 생각하고 요리조리 맞추던 때와 비교했을 때 시간이 엄청나게 줄어드는 걸 보았습니다. 큐브에도 맞춤 공식이 있다는 게 신기했습니다.

마찬가지로 대화가 술술 풀리고 인생이 술술 풀리게 하려면 듣기에도 그런 공식이 있었습니다. 대화에 관련된 책을 보고 강의를 듣고 실생활에서도 대입해보았습니다. 그러나 이론을 아무리 많이 알아도 실천하기는 어려웠습니다. 결국에는 대화를 잘하려면 '먼저 듣기를 잘해야 한다'로 답이 모아졌습니다. 돈을 받고 일을 하는 직장에서는 그렇게 어려운 것은 아니었습니다. 그러나 일상생활에서는 나의 자의식이 발동되었습니다. 자꾸 내가 먼저 말을 하고 싶어지고, 다 아는 내용이라는 생각이 들었습니다. 그러다 보니 처음에는 잘 들어준다는 것이 생각보다 어려운 일이었습니다. 잘 듣는다는 것은 '인내심 테스트'라는 생각도 많이 들었습니다.

점차적으로 듣기에 집중하고 듣기를 잘 실천하니 어느 순간 대화가 술술 풀리고 아이들과 남편과도 대화를 하면서 다투는 일이 없어졌습니다. 그로 인해 얻어지는 효과는 단순히 대화만 잘되는 것으로 끝나지 않습니다. 인생이 술술 풀리는 효과도 생겼습니다.

이렇게 먼저 대화를 잘 하고 싶다면 큐브의 공식처럼 그 기술과 공식을 배우고 적용해보면 되는 것이었습니다. 많은 사람들이 대화의 기술이란 말을 잘하는 데에만 초점을 맞추곤 하지만, 진정으로 의미 있는 대화를 만들어내는 것은 상대방의 말에 귀 기울이고 그 내용을 이해하는 능력에서 비롯됨을 깨닫고 실천하게 된 것입니다.

데일 카네기의 "인간 관계론"에서 그는 "사람들은 자신에 대해 이야기하는 것을 좋아한다"고 말했습니다. 저는 이 이론을 한 발짝 더 나아가, 사람들이 "자신의 이야기를 진심으로 들어주는 이에게 더 큰 가치를 느낀다"고 믿습니다. 이 책에서는 각 목차에 적용되는 예시들과 구체적인 실행 방법을 제시함으로써, 효과적인 '듣기'가 대화뿐만 아니라, 개인의 성장과 인간 관계에 어떠한 긍정적인 영향을 미치는지를 공유하고자 합니다.

인생을 성공하는 능력 중 아주 간단한 기술이 하나 있습니다. 이미 앞에서 말했던 바로, 사람을 진심으로 이해하고 그들의 요구와 감정에 귀 기울이는 기술입니다. 사람들을 움직이게 하는 가장 강력한 방법은 바로 그들의 이야기를 듣고, 그들이 진정으로 원하는 것이 무엇인지 파악하는 것입니다. 말을 통해, 글을 통해, 심지어는 비 언어적인 방식으로도 사람들의 마음을 움직일 수 있습니다. 특히 내향적인 사람이라면, 듣는 것에서 시작하는 것이 더욱 자연스럽고 편안할 수 있습니다. 내향적인 성향을 강점으로 삼아, 깊이 있는 대화와 진정한 공감을 통해 사람들과의 신뢰를 쌓아갈 수 있습니다.

성공은 종종 화려한 말솜씨나 대담한 행동으로 이루어진다고 여겨지기 쉽지만, 실제로는 사람들의 필요와 감정을 깊이 이해하고 그에 반응하는 능력에서 비롯됩니다. 이런 점에서 듣기는 단순한 수동적 활동이 아니라, 적극적이고 전략적인 기술입니다. 누구나 강력한 커뮤니케이터가 될 수 있으며, 이는 듣기 능력의 발전으로부터 시작됩니다. 따라서, 성공으로 가는 길에는 항상 진정한 듣기가 동반됩니다.

단순하게 느껴지겠지만 단순해서 지나치기 쉬운 그런 '듣기'의 힘에 대해 이야기합니다. 듣기는 그저 소리를 받아들이는 것 이상입니다. 상대방의 말, 그 말 뒤에 숨은 감정과 생각까지 이해하려 노력하는 것입니다. 그리고 이 과정이 얼마나 대화를 풍부하고 의미 있게 만드는지 한 번 더 생각해보고 실천하는 계기가 되기를 바랍니다. 독자 여러분도 대화의 질을 높이고, 인간관계를 개선하며, 결국은 삶의 질을 향상시키는 데 필요한 '듣기'의 기술을 습득하게 될 것입니다.

두 아이를 키우며, 그리고 사랑하는 배우자와 함께하며 깨달았던 것 중 하나는, 진심으로 서로의 이야기에 귀 기울이는 것이 얼마나 귀중한 행위 인지입니다. 우리의 일상 속 작은 순간 들에서 아이들의 재잘거림과 배우자의 하루 이야기에 귀를 기울일 때, 그 순간들이 어떻게 가족 간의 깊은 유대감을 형성하는지 목격했습니다.

이 책을 통해, 저는 그 '경청의 기술'을 단순한 기술을 넘어서, 우리 삶을 더욱 풍요롭게 만드는 예술로 승화시키고자 합니다. 여기에 담긴 이야기들과 제안들이, 대화의 즐거움을 발견하고 가정 안에서 서로의 목소리에 더 깊이 귀 기울이게 하는 소중한 계기가 되기를 바랍니다.

우리 모두가 서로에게 더 나은 경청자가 되어, 삶의 가장 의미 있는 순간들을 함께 나누며 즐길 수 있기를 진심으로 희망합니다

순간순간에 귀 기울이고 서로의 마음을 진정으로 이해하는 것, 이것이 우리가 상대방에게 줄 수 있는 가장 큰 선물입니다. '대화가 술술 풀리는 듣기의 기술'을 일상속에서 녹여내어 여러분의 매일매일이 행복했으면 좋겠습니다.

푸른 하늘과 초록이 짙어지는 좋은 날 김영의

"진정한 대화란 상대방의 말을 듣고, 깊이 있게 듣고, 또 말하지 않는 의미까지도 이해하는 과정이다."

-장폴사르트르 (Jean-Paul Sartre) -

제1장
경청의 첫 번째 기술:
마음을 열고 귀 기울이기

아래의 두 단어를 자세히 읽고 제대로 이해하신다면 이 책을 다 읽지 않아도 괜찮습니다. 대화가 술술 풀리는 듣기 능력과 대화의 모든 핵심을 이해하시는 것입니다. 다만 여러분의 실천만 남아 있습니다.

기울일 경(傾)

"경(傾)"은 마음이나 관심을 한쪽으로 기울여 그쪽에 집중한다는 비유적 표현입니다. 대화에서 "경(傾)"은 다음과 같이 풀이될 수 있습니다.

마음을 기울이다: 마음이나 태도가 특정 대상이나 사람에게 집중되는 상황을 나타냅니다. 대화 상황에서, 이는 상대방의 말에 귀 기울이고, 그들의 의견이나 생각에 주의를 집중하는 것을 의미합니다.

전적으로 집중하다: 자신의 모든 관심과 에너지를 대화 상대에게 쏟아붓고, 그들의 말에 전적으로 몰두하는 상태를 나타냅니다.

관심을 쏟다: 단순히 듣는 것을 넘어서 상대방에게 진심으로 관심을 가지고, 그들의 말에 가치를 두고 마음으로 이해하려는 노력을 포함합니다.

호의적으로 다가가다: 상대방의 말을 잘 들어주는 것은 종종 호의적인 태도나 배려의 표현으로 해석됩니다. 상대방에 대한 존중과 배려의 마음에서 비롯된 행동을 의미합니다.

마음을 열다: 자신의 생각이나 판단을 일시적으로 내려놓고, 상대방의 의견이나 생각을 수용할 준비가 되어 있는 상태를 나타냅니다. 이는 대화에서 상대방의 말을 진정으로 이해하고자 하는 열린 마음을 의미합니다.

이와 같이, "경(傾)"은 대화에서 단순히 귀를 기울이는 행위를 넘어서 마음과 관심을 상대방에게 전적으로 집중하고, 상대의 의견을 존중하며 이해하려는 태도를 포함하는 깊은 의미를 담고 있습니다.

들을 청(聽)

"청(聽)"은 귀를 기울여 소리를 듣는 것뿐만 아니라, 그 소리의 내용을 이해하고 받아들이는 깊은 수준의 경청을 나타냅니다. 대화에서 "청(聽)"은 다음과 같이 다양하게 풀이될 수 있습니다.

귀 기울이기: 기본적으로 "청(聽)"은 소리를 듣는 능력을 의미합니다. 상대방의 말을 잘 들어준다는 맥락에서는 단순한 청각적 수준을 넘어서 의식적으로 상대방의 말에 주의를 기울이는 행위를 포함합니다.

이해하기: 경청은 단지 소리를 듣는 것을 넘어, 말의 내용을 이해하고 그 의미를 파악하는 과정을 포함합니다. 상대방의 말을 정확하게 이해하려는 노력과 태도를 나타냅니다.

받아들이기: 상대방의 말을 긍정적으로 수용하는 것을 의미합니다. 이는 상대방의 의견이나 생각을 존중하고, 그들의 관점에서 사물을 바라볼 준비가 되어 있음을 나타냅니다.

소통의 도구로서의 경청: 대화에서의 양방향 소통에 있어 중요한 부분

27

입니다. 상대방의 말을 잘 들어줌으로써, 더 깊은 대화와 이해가 가능해지며, 관계의 질을 향상시킬 수 있습니다.

내면화와 반영: 경청은 또한 들은 내용을 내면화하고, 그것에 대해 반영하는 과정을 포함합니다. 이는 상대방의 말을 깊이 있게 고민하고, 필요한 경우 자신의 생각이나 행동을 조정하는 것을 의미합니다.

이처럼, "청(聽)"은 단순한 청각적 경청을 넘어서 상대방의 말을 이해하고, 받아들이며, 그것에 기반한 의미 있는 소통과 관계 형성을 포함하는 깊은 의미를 담고 있습니다.

29

"경청은 말하는 것보다 더 큰 선물을 줄 수 있다."

- 플랑크 -

1-1. 경청의 힘: 대화를 변화시키는 열쇠

우리는 친구, 가족, 동료들과 하루에도 수십 번씩 대화를 나눕니다. 그러나 진정으로 마음이 통하는 대화는 얼마나 될까요? 진정한 소통이 이루어지는 순간은 우리가 생각하는 것보다 드물 수 있습니다. 그렇다면 우리는 얼마나 자주 마음을 다해 다른 사람의 이야기에 귀 기울이고 있을까요?

경청은 대화를 변화시키는 열쇠입니다. 상대방의 말에 진심으로 귀 기울이는 것은 단순히 소리를 듣는 것 이상의 행위입니다. 그것은 마음을 열고 상대방의 생각, 감정, 의도를 이해하려는 적극적인 노력입니다. 진정한 경청은 대화의 질을 향상시키고, 상호 이해와 신뢰를 쌓는 데 결정적인 역할을 합니다. 뿐만 아니라, 경청은 갈등 해결, 창의적 아이디어 도출, 팀워크 향상 등 다양한 상황에서 긍정적인 영향을 미칩니다.

우리가 진정으로 경청할 때, 상대방은 존중받고 가치 있다고 느끼게 됩니다. 이는 대화에 참여하는 사람들 사이의 유대감을 강화하고, 건설적이고 생산적인 의사소통을 가능하게 합니다. 경청은 단순히 정보를 수집하는 것이 아니라, 관계를 발전시키고 협력을 이끌어내는 강력한 도구인 것입니다.

직장 생활에 지쳐 새로운 도전을 꿈꾸는 아내와 그녀의 이야기를 경청하는 남편의 대화 예시를 통해서 경청의 힘에 대해서 알아보겠습니다.

[예시: 경청으로 이어지는 새로운 도전]

아내: (한숨을 쉬며) 여보, 나 요즘 회사 일 때문에 스트레스 받아. 매일 똑같은 걸 반복하다 보니까 지치는 것 같아.

남편: 왜, 무슨 일 있어? 내가 볼 때 넌 정말 열심히 하고 있는데.

아내: 사실 난 디자인 일을 하고 싶었거든. 지금 하는 일이랑은 전혀 다른 걸. 뭔가 새로운 걸 배우고 도전해보고 싶어지더라고.

남편: 아, 그렇구나. 넌 원래 창의적인 걸 좋아했잖아. 그걸 살릴 수 있는 일을 하는 게 너한테는 더 잘 맞을 거야. 근데 구체적으로 어떤 생각을 하고 있어?

아내: 음, 일단 디자인 공부부터 시작해볼까 해. 인터넷으로 강의도 찾아보고, 학원도 알아보고 있어.

남편: 정말? 난 네가 그런 도전을 해보는 거 완전 찬성이야. 네가 공부하는 동안 내가 아이들 잘 챙길게. 넌 네 꿈을 향해 달려가는 거야.

아내: 정말 고마워, 여보. 네가 이렇게 내 편이 되어 주니까 힘이 나. 새로운 도전을 해볼 용기가 생겼어.

남편: 당연하지. 우리 서로 응원하는 거잖아. 넌 분명 잘할 수 있을 거

야. 내가 널 믿어.

남편은 아내의 고민을 공감하고, 그녀의 꿈을 응원하며 실질적인 지원을 약속합니다. 이런 대화 속에서 아내는 남편의 경청과 지지에 힘을 얻고, 새로운 도전에 대한 용기를 얻게 될것입니다.

1-2. 잘 듣는 사람에게는 특징이 있다.

잘 듣는 사람들은 대화에서 매우 중요한 역할을 합니다. 그들은 공감 능력이 뛰어나서 상대방의 감정과 경험에 깊이 공감합니다. 또한, 주의 깊게 경청하며 상대방이 모든 이야기를 마칠 때까지 인내심 있게 기다립니다. 이는 대화 상대방이 자신의 생각과 감정을 자유롭게 표현할 수 있는 안전한 공간을 만들어줍니다.

잘 듣는 사람들은 비판적이지 않은 태도를 갖추고 있어, 상대방의 의견을 존중하고 수용합니다. 그들은 적절한 질문으로 대화를 이끌어내어 상대방이 더 깊이 있는 사고를 할 수 있도록 돕습니다. 마지막으로, 그들은 명확한 피드백과 요약을 제공하여 상대방의 말을 정확히 이해했음을 전달합니다.

성공한 많은 리더들, 예를 들어 오프라 윈프리나 빌 게이츠와 같은 인물들은 탁월한 경청자로 알려져 있습니다. 오프라 윈프리는 "경청은 타인에게 줄 수 있는 가장 좋은 선물이라고 말했습니다. 그들은 상대방의 이야기에 진심으로 귀를 기울이고, 다양한 관점과 아이디어를 받아들입니다. 이러한 경청 능력은 그들이 타인과 강력한 관계를 만들고, 서로 다른 배경을 가진 사람들의 필요와 욕구를 이해하는 데 크게 기여했습니다.

직장에서 업무 실수로 상사에게 혼난 후배를 선배가 경청하고 위로하는 대화 예시를 통해서 잘 듣는 사람의 특징을 알아보도록 하겠습니다.

[예시: 마음을 어루만지는 경청과 공감]

후배: (한숨을 쉬며 책상에 앉아 있다)

선배: (후배 옆에 앉으며) 00아, 무슨 일 있어? 표정이 안 좋아 보이네.

후배: 아, 선배님... 오늘 제가 실수를 해서 과장님한테 엄청 혼났어요.

선배: 그랬구나. 혼나는 게 기분 좋을 리가 없지. 지금 기분이 어때?

후배: 보고서 작성하는 과정에서 중요한 데이터를 빼먹은 거예요. 과

장님이 그걸 발견하시고 저한테 엄청 화내셨어요. 제가 부족한 것 같아서 자존심도 상하고 속상하네요.

선배: (고개를 끄덕이며) 많이 속상하고 힘들었겠다. 네 기분을 이해해. 누구나 실수할 수 있는데, 상사에게 혼나면 자존감에 상처를 받을수밖에 없어.

후배: 맞아요. 제가 더 꼼꼼히 확인했어야 하는데... 죄송해요, 선배님.

선배: 아니야, 네가 미안해할 필요 없어. 지금은 네 마음이 우선이야. 이런 일이 있을 때마다 자책하기보다는, 네 노력과 가치를 인정하는게 중요해.

후배: (눈시울이 붉어지며) 감사합니다, 선배님. 선배님이 이렇게 제마음을 이해해 주시니까 조금 마음이 가벼워지네요.

선배: 힘내. 넌 정말 열심히 하는 직원이야. 이런 어려움도 분명 잘 이겨낼 수 있을 거야. 내가 옆에서 응원하고 있다는 걸 잊지 마. 힘든 일이 있으면 언제든 나한테 이야기하고, 함께 잘해보자.

위 대화에서는 선배가 후배의 감정에 초점을 맞추고, 공감과 위로를 표현하는 데 집중합니다. 실수 자체보다는 그로 인해 받은 마음의 상처에 주목하죠. 또한, 과도한 표현이나 조언 대신 후배의 노력과 가치를 인정하고, 함께 마음의 짐을 나누겠다는 자세를 보입니다.

이런 공감의 표현은 상대방으로 하여금 자신의 감정이 수용되고 이해받고 있음을 느끼게 해줍니다.

1-3. 마음을 여는 대화의 기술이 따로 있다.

대화는 단순히 말을 주고받는 행위 이상의 것입니다. 진정한 대화는 마음과 마음을 연결하는 교감의 과정입니다. 이를 위해서는 경청의 역할이 매우 중요합니다. 경청은 상대방의 말 속에 담긴 감정과 의미를 이해하고 그에 반응하는 과정입니다.

진심을 담아 경청할 때, 우리는 상대방의 감정과 의도까지도 이해하려고 노력합니다. 이는 상대방에게 자신의 말이 중요하다고 느끼게 해주는 가장 강력한 방법이며, 그들이 자신의 생각과 감정을 더욱 열린 태도로 표현하도록 이끕니다.

마음을 여는 대화의 기술에는 공감적 경청, 개방형 질문하기, 판단 유보하기 등이 있습니다. 공감적 경청은 상대방의 감정을 인지하고 그 감정에 반응하는 것을 의미합니다. 개방형 질문은 상대방이 자신의 생각을 더 자세히 설명할 수 있도록 유도하는 질문 방식입니다. 판단을 유보하는 것은 상대방의 의견을 경청하는 동안 자신의 견해를 내세우지 않는 것을 의미합니다.

마음을 여는 대화의 기술을 배우고 실천하는 것은 우리의 인생을 변화시킬 수 있는 힘을 가지고 있습니다. 경청을 통해 우리는 더 깊은 유대감을 형성하고, 서로를 진정으로 이해할 수 있게 됩니다. 이는 개인적인 관계뿐만 아니라 직장, 지역사회 등 다양한 영역에서 긍정적인 변화를 가져올 수 있습니다.

[예시: 마음을 여는 대화의 기술]

아내: (한숨을 쉬며) 여보, 오늘 회사에서 좀 힘든 일이 있었어.

남편: 왜, 무슨 일 있었어? 무거운 한숨을 쉬는 걸 보니 스트레스 받았나 봐?

아내: 새 프로젝트 때문에 그래. 기한도 촉박하고 자원도 부족한데, 팀장은 완벽한 결과를 바라는 걸 그냥 못 느낄 정도로 강력하게 요구하더라고.

남편: 그렇구나. 지금 상황에서는 팀장의 요구가 너무 무리인 것 같은데, 솔직하게 말하기는 쉽지 않았겠다.

아내: 맞아. 열심히 하고는 싶은데, 한계가 있는 걸 팀장이 이해해 주면 좋겠어.

남편: 그래, 네 고민 이해가 가. 만약 팀장에게 상황을 설명한다면 어

편 식으로 얘기할 것 같아?

아내: 글쎄, 아마도 프로젝트의 중요성은 인정하면서, 현실적으로 조금 조정이 필요하다고 전달해야겠지.

남편: 그래, 좋은 생각이야. 솔직하게 소통하는 게 중요해. 어려운 대화일 수 있지만, 잘 할 수 있을 거야. 내가 응원하고 있어.

아내: 네 말 들으니까 마음이 좀 가벼워지네. 내일 팀장님과 이야기 잘 해봐야겠다.

남편: 넌 할 수 있어. 내가 네 편이라는 거 잊지 마.

이 대화에서 남편은 아내의 말에 귀를 기울이며, 판단하거나 즉각적인 해결책을 제시하기보다는 아내의 생각과 감정을 끌어내려 노력합니다. 개방형 질문을 통해 아내가 스스로 해결책을 찾도록 유도하죠. 또한, 아내의 입장을 이해하고 공감하는 한편, 그녀의 능력을 믿고 지지하는 모습을 보입니다.

이런 대화의 기술은 상대방의 마음을 열게 하고, 스스로 문제를 해결할 수 있는 힘을 북돋아 줍니다. 독자들은 이 예시를 통해 일상의 대화에서 어떻게 상대방의 마음을 여는 대화를 실천할 수 있을지 배울 수 있을 것입니다.

1-4. 일상에서 경청을 실천하는 간단한 방법

경청의 힘과 중요성, 그리고 경청 장벽을 극복하는 방법에 대해 알아보았습니다. 이제 우리의 일상생활에서 경청을 실천하는 간단한 방법들을 살펴보겠습니다. 이 방법들을 통해 우리는 일상에서 마음을 열고 진정한 소통을 경험할 수 있습니다.

1. 적극적인 듣기 자세 갖추기

경청을 실천하기 위해서는 먼저 적극적인 듣기 자세를 갖추는 것이 중요합니다. 대화 상대방과 눈을 마주치고, 고개를 끄덕이며, 열린 자세로 앉는 것은 상대방에게 당신이 듣고 있다는 것을 보여주는 간단하지만 효과적인 방법입니다.

2. 주의 집중하기

대화에 집중하는 것은 경청의 핵심입니다. 스마트폰이나 다른 방해 요소를 제거하고, 오로지 상대방의 말에 주의를 기울이세요. 머릿속에서 다음에 할 말을 준비하는 대신, 상대방이 전달하고자 하는 메시지에 초점을 맞추는 것이 중요합니다.

3. 말을 끊지 않기

경청을 실천하기 위해서는 상대방의 말을 끝까지 듣는 것이 필수적입니다. 중간에 끼어들거나 상대방의 말을 끊지 않도록 주의하세요. 상대방이 자신의 생각을 완전히 표현할 수 있도록 기다려주는 것은 존중의 표시입니다.

4. 개방형 질문하기

개방형 질문은 상대방이 자신의 생각과 감정을 더 자세히 설명하도록 격려합니다. "그 상황에서 어떤 기분이 들었나요?", "그에 대해 좀 더 말해줄 수 있나요?" 같은 질문들은 대화를 더 깊이 있는 수준으로 이끌어줍니다.

5. 피드백 제공하기

경청 후에는 상대방의 말을 이해했다는 것을 전달하기 위해 피드백을 제공하는 것이 좋습니다. 상대방의 말을 요약하거나, 느낀 점을 공유하는 것은 효과적인 피드백 방법입니다. 이는 상대방에게 당신이 진심으로 듣고 있었다는 것을 보여줍니다.

이러한 간단한 방법들을 일상생활에서 꾸준히 연습한다면, 우리는 점차 더 나은 경청자가 될 수 있습니다. 가족, 친구, 동료 등 주변 사람들과의 대화에서 이 방법들을 적용해보세요. 경청의 힘은 우리의 관계를 더욱 깊고 의미 있게 만들어줄 것입니다.

1-5. 일상에서 잘 듣기를 쉽게 적용하는 방법

공감 능력 키우기

상대방의 입장에서 생각해보고, 그들의 감정을 이해하려고 노력해보세요. "네가 그렇게 느낀다면 정말 힘들었겠다"와 같은 공감 표현을 사용할 수 있습니다.

예를 들어 친구가 최근 직장에서의 어려움에 대해 이야기할 때, 당신은 진심으로 그의 상황을 듣고 "정말 스트레스 받았겠다. 그런 상황에서 네가 어떤 기분이었 을지 상상이 간다"라 고 말함으로써 친구의 감정에 공감을 표현할 수 있습니다.

또는 친구가 사랑하는 반려동물을 잃었을 때, "사랑하는 반려동물을 잃어서 네가 많이 힘들고 슬프겠구나. 네가 슬퍼하는 모습을 보니 나도 마음이 아프다"라 고 말하며, 그들의 슬픔에 진심으로 공감해줄 수 있습니다.

명확하고 간결하게 의사소통하기

자신의 생각과 감정을 명확하고 간결하게 표현하는 연습해보면 됩니다. 불필요한 오해를 피하기 위해 직접적이고 명확한 언어를 사용하는 것이 좋습니다.

예를 들어 동료와 프로젝트에 대해 의논할 때, "나는 이러 이러한 부분에 대해 좀 더 자세히 이야기하고 싶어. 내생각에는, 일을 더 효율적으로 하기 위해서는 우선순위를 다시 정리해야 할 것 같아"라 고 명확하게 의견을 제시하여 혼란을 방지하고 효율적인 의사소통을 할 수 있습니다.

또한 가족과의 일정 조율을 예시로, "이번 주 토요일 오후에는 중요한 약속이 있어서 참석할 수 없어. 다른 날로 재조정할 수 있을까?"라고 직접적으로 자신의 상황을 전달하여, 오해 없이 모두가 만족할 수 있는 해결책을 찾아낼 수 있습니다.

비평적 사고 개발

정보를 수용적으로 받아들이되, 비판적으로 생각하는 방법을 연습해 보세요. 이런 연습을 통해 상황을 더 잘 이해하고, 문제를 해결하는 데 도움이 될 수 있습니다.

자기인식 향상

자신의 감정, 생각, 행동 패턴에 대해 깊이 이해하려고 노력하는 자세가 필요합니다. 자신의 소통 스타일을 인식하고, 변화가 필요하다면 원하는 방향으로 조금씩 바꿔 나 갈 수 있습니다.

갈등 해결 기술 배우기

갈등 상황에서 평화롭게 문제를 해결할 수 있는 전략을 배워보세요. 이 기술은 갈등을 피하는 것이 아니라, 건설적인 방식으로 해결하는 것을 의미합니다.

피드백을 주고받기

상대방에게 자신의 소통 방식에 대한 피드백을 요청하고, 제공된 피드백을 수용하는 방법을 배워봅니다. 또한, 타인에게 도움이 될 수 있는 긍정적이고 건설적인 피드백을 제공하는 방법을 연습해보세요.

지속적인 학습과 개발

책을 읽거나, 온라인 강의를 듣거나 모임에 참여하는 등, 소통 기술을 지속적으로 발전시킬 수 있는 기회를 찾아서 실천해봅니다.

명상 및 마음 챙김

정서적 균형을 유지하고 스트레스를 관리하기 위해 명상이나 마음 챙김과 같은 연습을 해보는 것입니다. 이방법은 집중력을 향상시키고, 감정적 반응을 조절하는 데 도움이 될 수 있습니다.

효과적인 소통은 다양한 기술과 자기 인식, 그리고 연습을 필요로 합니다. 경청은 기본이지만, 위에서 언급한 다른 요소들도 중요한 역할을 합니다. 지속적으로 이러한 기술을 개발하고 연습함으로써, 보다 효과적으로 소통하고 인간 관계를 개선할 수 있습니다.

위 내용을 활용하고 꼬리에 꼬리를 무는 질문해보기

효과적인 듣기 기술 중 하나는 상대방에게 '들은 내용 다시 질문하기' 입니다. 이 기술은 대화 중에 상대방이 자신의 생각과 감정을 내면 깊이 생각하게 하는 방법입니다. 상대의 말을 집중해서 듣지 않는다면 엉뚱한 질문이나 맥락을 끊는 질문을 하는 실수를 하게 됩니다. 상대방의 이야기에 귀 기울이다 보면 궁금해지는 대목이 나오고 또 그 내용으로 질문을 할 수 있습니다. 이러한 꼬리에 꼬리를 무는 질문은 상대방이 자신의 생각에 대해 더 깊이 있게 파고 들고 고민하기 때문에 대화의 깊이를 더할 수 있습니다. 생각치도 못했던 의외의 이야기를 듣게 되는 경우도 있습니다.

예시1)

엄마: 저번에 졸업하면 어떻게 할지 고민이라고 했었는데 진로에 대해 더 생각해봤어?

딸: 네... 사실 계속 고민 중 이에요. 대학 편입을 해서 공부를 더 할지, 아니면 취업을 할지 결정하기가 참 어려워요.

엄마: 편입해서 더 공부하고 싶은 분야가 특별히 있니? 아니면 특정한 직업 분야에 끌리는 게 있는 거야?

딸: 글쎄요, 편입하면 좀 더 전문적인 지식을 쌓을 수 있을 것 같아요. 특히 경영학 쪽도 더 깊게 배우고 싶고... 취업을 생각하면 마케팅 분야가 흥미로울 것 같아요.

엄마: 경영학과 마케팅 분야에서 특히 어떤 부분이 마음에 드는 거야?

딸: 사실은 전략적인 기획과 시장 분석이 재미있어 보여요. 이상적인 직업이라면... 크리에이티브한 아이디어를 내고, 사람들의 필요와 반응을 예측하는 일을 하고 싶어요.

엄마: 그렇구나. 아이디어를 내고 사람들의 필요와 반응을 예측하는 그런 일도 참 흥미롭겠다. 그치?

딸: 맞아요! 사람들이 내가 기획한 캠페인이나 제품에 긍정적인 반응을 보일 때, 그걸 보며 성취감을 느끼고 싶고 그런 보람된 일을 해보고 싶어요.

엄마: 그럼, 혹시 마케팅 분야를 더 공부해보고 싶은 거니?

딸: 네, 정말 그렇게 생각해요. 마케팅에서 더 많은 걸 배우고 싶어요. 특히 제가 관심 있는 크리에이티브 기획과 시장 분석 쪽으로 말이에요.

엄마: 네가 관심 있는 크리에이티브 기획과 시장 분석 쪽으로 더 배우고 싶다는 말이지? 그렇다면, 편입을 고려하는 것도 좋은 방법이 될 수 있겠네.

딸: 맞아요, 그렇게 생각 하고 있어요. 물론 바로 취업을 해서 실무 경

험을 쌓는 것도 도움이 되겠지만, 지금 제가 원하는 건 좀 더 체계적으로 배우고 전문성을 키우는 과정이 필요해요.

엄마: 네가 원하는 길을 선택하게 중요하다고 생각해. 물론, 어떤 결정을 하든 엄마는 항상 응원할게.

딸: 고마워요, 엄마. 좀 더 고민해보고 제가 정말로 원하는 길을 찾아볼게요.

이 대화에서 엄마는 딸의 관심사와 목표를 좀 더 깊이 이해하게 되었습니다. 딸은 자신의 열정을 따라 마케팅 분야에서 더 깊은 공부를 하기로 결정하는 방향으로 기울어질 것 같습니다. 엄마는 딸의 말을 집중해서 듣고, 딸의 생각과 감정을 더 깊이 파고들 수 있는 질문들을 해나 갈 수 있었습니다. 이런 식으로 상대방에게 귀 기울이고 질문을 함으로써, 딸은 자신의 진로에 대해 더 깊이 고민하고 내가 원하는 것이 무엇인지 더 깊게 생각해봅니다. 엄마는 진로에 대해서 어떤 이유로 고민하는지 딸을 더 잘 이해하게 되는 계기가 됩니다.

질문을 통해 대화를 잘 이끌어 가는 방법과 함께 대화의 내용을 더 깊이 있게 하려면 호기심을 가지는 것도 좋습니다. 내가 이미 알고 있다는 태도는 상대를 맥 빠지게 하고 대화를 단절시키게 됩니다. 호기심을 갖고 질문하게 되면 흥미로운 대화로 이끌어 갈수 있습니다.

사녀가 관심있어 하는 분야에 대해서 궁금할 때 질문을 통해 부모는 자녀를 더 잘 이해할 수 있는 계기가 됩니다.

예시2)

엄마: 딸, 요즘 진로에 대해서 어떤 생각을 하고 있니? 저번에 관심 갖고 공부하고 싶은 분야가 있다해서 궁금하다.

딸: 엄마, 저는 요즘 전략적인 기획과 시장 분석에 대해 많이 생각하고 있어요. 이상적인 직업을 꿈꾼다면, 크리에이티브한 아이디어를 내고, 사람들의 필요와 반응을 예측하는 일을 하고 싶어요.

엄마: 오호 그래 ~ 저번에 네가 그런 말했던거 기억나. 그런 일을 하는 사람들이 실제로 어떤 일을 하는지 궁금하구나. 네가 그런 일에 관심을 갖게 된 계기가 있니?

딸: 사실, 제품이나 서비스가 사람들의 생활에 어떻게 영향을 미치는지 보는 게 정말 재미있어요. 그리고 어떻게 하면 더 나은 방법으로 사람들의 삶을 개선할 수 있을지 고민하는 것도 좋아해요.

엄마: 정말 멋진 생각이야. 그런 분야에서 일하기 위해 필요한 능력이나 지식이 어떤 것이 있다고 생각하니?

지혜: 글쎄요, 아마 창의성과 분석적인 사고가 필요할 거 같아요. 그리고 사람들의 행동과 반응을 이해하는 것도 중요할 것 같고요.

엄마: 응. 맞아. 창의성과 분석적인 사고, 그리고 사람들을 이해하는 능력... 정말 중요한 요소들이야. 너는 그런 능력들을 어떻게 키우고 싶어?

딸: 더 많은 책을 읽고, 관련 분야의 사람들과 이야기해보고 싶어요. 아마도 인턴십 같은 경험도 도움이 될 것 같고요.

엄마: 좋은 생각이야. 인턴십을 통해 실제 업무 경험을 해보는 것도 중요한 학습 과정이 될 수 있겠네. 네가 어떤 분야의 인턴십에 관심이 있을지 궁금하구나.

딸: 사실 아직 확실하지는 않아요. 하지만 기술 스타트업이나 환경을 개선하는 프로젝트에 관심이 많아요.

엄마: 스타트업과 환경 프로젝트라... 네가 이런 분야에 관심을 갖게 된 이유가 뭐야?

딸: 새로운 아이디어로 세상을 바꿀 수 있는 가능성이 정말 매력적이라고 생각해요. 그리고 환경을 보호하는 것은 우리 모두의 책임이라고 생각하거든요.

엄마: 와! 우리 딸 이렇게 깊은 생각을 하다니 기특하구나. 네가 이런 생각을 하는지 알게 해줘서 고마워. 엄마도 네가 좋아하는 것 하고 싶은 것을 할 수 있게 되길 바랄 게.

상대방이 최근 겪은 어려운 상황에 대해 이야기할 때, 단순히 "그랬구나"라 고 반응하는 것을 넘어서, "그 상황에서 가장 어려웠던 점은 무엇이었나요?" 또는 "그 경험이 앞으로 당신에게 어떤 영향을 줄 것 같나요?"와 같은 질문을 할 수 있습니다. 이런 질문들은 상대방이 자신의 경험을 더 깊이 되돌아보게 되며, 그 과정에서 자기 자신에 대해 더 많이 알아가는 기회가 됩니다.

이렇듯 질문의 힘은 상대방이 자신의 경험과 생각을 세밀하게 고민하고 반추할 수 있도록 해주는 역할을 합니다. 혼자 대화를 이어가는 것이 아닌 쌍방향적이고 의미 있는 대화속에서 서로에 대한 이해가 깊어지게 됩니다.

제1장을 마무리하며: 경청의 힘을 일상에서 발휘하기

우리는 제1장을 통해 경청의 힘, 진정한 경청의 의미, 경청 장벽 극복 방법, 그리고 일상에서 경청을 실천하는 방법에 대해 알아보았습니다. 이제 이 모든 내용을 종합하여 경청의 중요성을 다시 한번 되새겨 보겠습니다.

연구에 따르면, 대화에서 사람들은 대략 45%의 시간을 듣는 데 할애한다고 합니다. 하지만 안타깝게도 많은 사람들이 경청의 진정한 가치를 충분히 인식하지 못하고 있습니다. 가족 간의 대화나 직장에서의 의사소통에서조차 상대방의 말에 집중하지 못하는 경우가 비일비재합니다. 이는 경청의 중요성에 대한 인식 부족을 여실히 보여주는 대목입니다.

진정한 경청은 단순히 조용히 있거나 상대방이 말을 마칠 때까지 기다리는 것이 아닙니다. 그것은 적극적으로 이해하고 반응하려는 노력을 포함합니다. 흥미로운 통계에 따르면, 사람들은 일반적으로 1분에 450단어 정도의 속도로 말을 듣지만, 실제로 기억하는 것은 그 중 17%에서 25%에 불과하다고 합니다. 이는 대부분의 사람들이 듣는 내용을 제대로 처리하거나 기억하지 못한다는 것을 의미하며, 경청 기술의 부족을 시사합니다.

특히 직장에서 경청의 중요성은 아무리 강조해도 지나치지 않습니다. 활발한 경청 문화를 조성하는 기업들은 그렇지 않은 기업들에 비해 직원 만족도가 16% 더 높고, 직원들의 최고 성과 달성 가능성이 4.6배나 높다고 합니다. 반면, 경청 부재로 인한 오해는 기업에 막대한 손실을 초래할 수 있습니다. 한 조사에 따르면, 기업들은 경청 부족으로 인해 연간 800억 원 이상의 손실을 보고 있다고 합니다. 이는 경청이 단순한 좋은 습관을 넘어 비즈니스 성공을 좌우하는 필수 요소임을 말해줍니다.

놀랍게도, 상대방의 말을 '듣기만' 잘해도 대화는 훨씬 수월해질 수 있습니다. 여기서 '듣기만 잘한다'는 것은 단순히 말을 듣는 것 이상의 의미를 담고 있습니다. 그것은 상대방의 말에 눈과 귀를 기울이고, 마음으로 듣는 것을 뜻합니다. 진심을 다해 듣는 것, 바로 그것이 경청의 본질입니다.

대화는 우리 삶에서 가장 중요한 소통 수단입니다. 부모-자녀 관계, 친구 관계를 비롯한 모든 사회적 관계에서 대화는 없어서는 안 될 요소입니다. 그리고 그 대화의 질을 결정하는 핵심 요인이 바로 경청입니다.

이 책의 첫 장을 마무리하면서, 저는 여러분께 일상 속에서 경청의 힘을 활용할 것을 당부 드리고 싶습니다. 가족, 친구, 동료와의 대화에서 진심을 다해 귀 기울이는 연습을 해보세요. 그들의 말에 깊이 공감하고, 적극적으로 반응하려 노력해보세요. 처음에는 어색하고 어려울 수 있습니다. 하지만 이런 노력을 거듭할수록, 여러분은 경청의 놀라운 효과를 직접 경험하게 될 것입니다. 관계가 개선되고, 일의 효율성이 높아지며, 삶의 질이 향상되는 기쁨을 맛볼 수 있을 것입니다.

경청, 그것은 우리 인생을 변화시키는 강력한 열쇠입니다. 이 열쇠를 손에 쥐는 순간, 대화의 문이 활짝 열리고 새로운 세계가 펼쳐질 것입니다. 지금 바로 경청의 힘을 믿고, 그 힘을 일상에서 마음껏 발휘해 보시기 바랍니다.

1장에서는 경청의 힘, 진정한 경청의 의미, 경청 장벽 극복 방법, 그리고 일상에서 경청을 실천하는 방법에 대해 알아보았습니다. 이는 마음을 여는 대화의 첫걸음이며, 우리 삶에서 진정한 소통을 경험하기 위한 기반이 될 것입니다. 다음 장에서는 경청 능력을 더욱 향상시키기 위해 필요한 비언어적 신호와 몸짓에 대해 자세히 살펴보도록 하겠습니다.

제1장 요약: 마음을 열고 귀 기울이기 - 경청의 힘

1. 경청의 본질

  - 적극적 이해와 공감

  - 관계 발전과 신뢰 구축

2. 경청의 장벽과 극복 방법

  - 선입견, 감정적 반응, 주의 분산

  - 열린 마음, 집중력 향상

3. 일상에서의 경청 실천

  - 적극적 듣기 자세

  - 효과적인 질문과 피드백

4. 경청의 중요성

  - 의사소통에서의 비중

  - 직장에서의 영향력

  - 마음으로 듣기의 가치

5. 경청의 힘 발휘하기

  - 일상에서의 지속적 연습

  - 변화와 성장의 기회

"인생의 가장 큰 기술은 바로 올바른 순간에 올바른 방식

으로 귀를 기울이는 것이다."

- 랄프 왈도 에머슨 -

몸짓 언어는 결코 거짓말을 하지 않는다. 몸짓으로 감정을 숨길 수는 없다.

정상처럼 행동하려 해도, 몸짓 언어가 당신의 불편함을 드러낼 것이다”

- Peter Andrews-

반드시 말로 표현하지 않더라도 표정과 몸짓을 통한 이해가 필요합니다.

제2장

경청의 두 번째 기술:

비언어적 신호 읽기

상대방의 이야기에 진심으로 귀 기울일 때, 대화 상대에게 몇 가지 중요한 신호를 보내게 됩니다.

1장에서 우리는 경청의 힘과 잘 듣는 사람들의 특징에 대해 알아보았습니다. 이번 장에서는 경청에 있어 비언어적 신호의 중요성과 이를 이해하는 방법에 대해 살펴보겠습니다.

비언어적 신호의 중요성

마음을 여는 대화에서는 듣는 것의 중요성을 강조했는데, 여기에서 비언어적 신호가 큰 역할을 합니다. 상대방의 몸짓, 표정, 눈빛 등은 말로 전달되지 않는 많은 것들을 전달합니다. 때로는 말보다 더 강력한 메시지를 전달하기도 합니다. 비언어적 신호에 주의를 기울임으로써, 대화에서 더 깊은 의미를 찾아낼 수 있습니다.

예를 들어, 상대방이 말은 "괜찮다"고 하지만 그의 얼굴 표정이 슬퍼 보인다면, 그 말 이면에 숨겨진 감정을 읽어낼 수 있습니다. 이런 비언어적 단서를 포착하는 것은 상대방의 진정한 마음을 이해하는 데 도움이 됩니다.

'너는 혼자가 아니야'

'나는 여기 있고, 너의 이야기를 듣고 싶어.'

'너의 감정은 당연하다고 생각하고, 나는 그걸

  이해하려고 노력할 거야.'

이런 신호가 상대방에게 전달되기 때문에 상대방의 마음에 안전하다는 일종의 공간이 만들어지는 것입니다. 그래서 자신의 감정과 생각을 자유롭게 표현할 수 있도록 도와줍니다. 때로는 말없이 들어주는 것만으로도 상대방이 큰 위안을 느낄 수 있습니다.

대화에서 듣기는 단순히 말하는 사람의 단어를 이해하는 것 이상을 의미합니다. 효과적인 커뮤니케이션은 비언어적 신호와 몸짓의 이해를 포함하는데, 이는 상대방의 감정, 의도, 그리고 메시지의 미묘한 측면 까지 포착할 수 있게 해줍니다. 여기에는 표정, 몸짓, 자세, 눈의 움직임, 그리고 목소리의 톤과 같은 요소들이 포함됩니다. 이러한 비언어적 신호들을 이해하고 해석하는 것은 대화의 진정한 의미를 파악하고, 상대방과 더 깊은 수준의 연결을 형성하는 데 중요합니다.

예를 들어, 대화 중 상대방이 팔짱을 끼고 있고 몸을 뒤로 기울이는 자세를 취한다면, 이는 그들이 방어적이거나 논의되고 있는 주제에 대해 불편함을 느끼고 있을 수 있음을 나타낼 수 있습니다. 반대로, 상대방이 앞으로 몸을 기울이고 눈을 마주치며 고개를 끄덕일 때, 이는 관심과 동의를 표현하는 것일 수 있습니다.

또한, 사람들의 표정은 많은 것을 전달할 수 있습니다. 눈가의 미세한 주름이나 입가의 미소는 긍정적인 감정을 나타낼 수 있으며, 눈썹을 찌푸리거나 입술을 굳게 다문 모습은 불만이나 불편함을 의미할 수 있습니다.

공감적 반응의 힘

경청은 공감적 반응으로 이어져야 합니다. 상대방의 말에 공감하고,

그 감정을 이해한다는 것을 표현함으로써, 대화 상대방과 더 깊은 연결고리를 맺을 수 있습니다. 이는 대화를 통해 서로의 마음을 열고, 진정한 소통의 길을 마련하는 데 필수적인 요소입니다.

공감적 반응은 언어적, 비언어적으로 모두 표현될 수 있습니다. "그 상황에서 그런 기분이 들었겠군요"와 같은 말로 공감을 표현할 수도 있고, 고개를 끄덕이거나 따뜻한 미소를 지어 보이는 것으로도 공감을 전달할 수 있습니다.

경청의 장애물 극복하기

마음을 여는 대화를 위한 경청은 여러 장애물에 부딪힐 수 있습니다. 1장에서 언급한 선입견, 방어적 태도, 주의 분산 등이 대표적인 예입니다. 이러한 장애물을 인식하고 극복하는 방법을 알아보며, 경청의 기술을 향상시키는 데 집중해야 합니다.

선입견을 극복하기 위해서는 열린 마음을 갖는 것이 중요합니다. 자신의 선입견을 인지하고, 상대방의 말을 있는 그대로 받아들이려는 노력이 필요합니다. 방어적 태도를 극복하기 위해서는 상대방의 말을 비판이 아닌 이해의 관점에서 바라보는 연습을 해야 합니다. 주의 분산을 최소화하기 위해서는 대화에 집중할 수 있는 환경을 조성하는 것이 도움이 됩니다.비언어적 신호 읽기 연습

비언어적 신호를 이해하는 능력은 연습을 통해 향상될 수 있습니다. 일상생활에서 사람들과 대화할 때, 그들의 얼굴 표정, 몸짓, 목소리 톤 등에 주의를 기울여 보세요. 이를 통해 상대방의 감정과 의도를 파악하는 데 도움이 될 것입니다.

또한, 영화나 드라마를 볼 때에도 등장인물들의 비언어적 표현에 집중해 보는 것이 좋습니다. 그들의 표정과 몸짓이 전달하는 메시지를 읽어내는 연습을 해보세요.

비언어적 신호를 이해하는 것은 경청의 중요한 부분입니다. 이를 통해 우리는 상대방의 마음을 더 깊이 이해할 수 있고, 진정한 공감과 소통을 이룰 수 있습니다. 다음 장에서는 경청을 방해하는 장벽들과 이를 극복하는 방법에 대해 더 자세히 알아보겠습니다.

반드시 말로 표현하지 않더라도 대화하는 상대방은 표정과 눈빛을 보고 그 신호를 감지합니다 듣기를 잘하려면 비언어적 신호와 몸짓을 이해해야 합니다. 대화 도중 상대방은 몸짓에 반응하기도 합니다. 상대의 표정이나 시선, 한숨, 몸짓과 제스처, 톤 변화 등을 이해하는 것이 매우 중요합니다. 그리고 이러한 비언어적 신호를 말로 표현되는 내용과 함께 고려하며, 전체적인 커뮤니케이션의 맥락 속에서 이들을 해석하는 능력을 키우는 것이 필요합니다. 때로는 비언어적 신호가 말로 표현된 내용보다 더 많은 정보를 제공하고, 상대방의 진정한 감정과 생각을 이해하는 데 도움을 줄 수 있습니다.

사람들의 감정과 생각을 이해하는 데 있어 얼굴 표정이 어떻게 중요한 역할을 하는지를 알아보고 미묘한 표정 변화가 의사소통에서 어떤 신호를 전달하는지에 대해 알아보겠습니다.

-얼굴표정이 모든 걸 말해준다-

2-1. 얼굴 표정이 전하는 메시지 이해하기

얼굴 표정은 감정과 생각을 전달하는 가장 강력하고 직접적인 수단입니다. 우리는 상대방의 미묘한 표정 변화를 통해 그들의 내면 상태를 읽어낼 수 있습니다. 미소 한 번에 행복과 친밀감이 느껴지고, 눈살 하나에 걱정과 불안이 묻어납니다.

미소는 가장 대표적인 긍정적 표정입니다. 입가에 주름이 잡히고 눈가가 밝아지는 미소는 기쁨과 정중함을 상징합니다. 미소를 대할 때 우리는 자연스레 상대를 친근하게 여기고 편안함을 느끼게 됩니다.

반면 이마에 주름이 잡히고 눈썹이 구겨지는 표정은 불만이나 걱정, 화남 등의 부정적 감정을 드러냅니다. 이런 표정 신호를 포착했을 때는 상황을 진정시키고 주제를 바꾸는 등의 대응이 필요합니다.

또한 눈길의 움직임도 중요한 의미를 지닙니다. 상대와 눈을 마주치면 관심과 존중을 표하는 것이며, 시선을 피하면 불안이나 회피의 마음을 내비치게 됩니다. 눈썹을 치켜올리면 의문, 내리면 집중 상태를 알려줍니다.

이처럼 미세한 표정 변화에도 복잡한 심리가 담겨 있습니다. 상대방의 내면을 이해하기 위해서는 얼굴 표정을 주의 깊게 관찰하고 해석할 수 있어야 합니다. 이를 통해 원활한 의사소통과 상호 이해가 가능해지며, 인간관계에서 큰 역할을 하게 됩니다.

이와 같이 얼굴 표정을 정확하게 해석하는 능력은 사회적 상황에서 미묘한 감정적 신호를 포착하고 이해하는 데 필수적입니다. 이를 통해 의사소통이 더 효과적이고 의미 있게 이루어질 수 있습니다.

얼굴 표정은 우리가 가진 가장 직접적인 비언어적 의사소통 수단입니다. 상대방의 미묘한 표정 변화를 관찰하면 그들의 감정과 심리 상태를 이해할 수 있습니다.

먼저, 미소는 가장 대표적인 긍정 표정으로 행복, 기쁨, 친근함 등을 나타냅니다. 상대가 미소를 짓는다면 그들이 개방적이고 편안한 마음 상태임을 알 수 있습니다.

반면 찡그린 표정, 움푹 패인 이마 주름, 내려간 눈썹은 부정적인 감정 상태를 의미합니다. 불만, 걱정, 슬픔, 화남 등을 대변할 수 있으므로 상황에 맞게 주의를 기울여야 합니다.

또한 눈 움직임과 눈맞춤에도 주목해야 합니다. 시선을 마주치면 관심과 존중을, 피하면 어색함이나 숨기고 싶어함을 나타냅니다. 눈썹을 치켜올리면 의아함을, 모으면 집중 상태를 알려줍니다.

이처럼 미세한 얼굴 근육의 움직임에도 복잡한 심리가 담겨있습니다. 상대방의 표정 변화를 주의 깊게 살펴 메시지를 정확히 해석한다면 원활한 의사소통과 상호 이해가 가능해집니다. 따라서 얼굴 표정 읽기 능력은 대인 관계에서 필수적인 역량입니다.

2-2. 상대방의 몸짓과 제스처 해석하기

대화는 말과 글 그 이상의 의미를 가집니다. 우리는 상대방의 비언어적 신호를 포착하고 해석함으로써 진정한 메시지를 이해할 수 있습니다.

시선은 마음의 창문과 같습니다. 상대방이 시선을 어디에 두는지에 따라 그들의 관심사와 심리 상태를 가늠할 수 있습니다. 눈을 맞추면 존중과 주의를, 피하면 불안이나 거리감을 느끼게 됩니다.

몸짓과 손짓 또한 생각과 감정의 중요한 표현 수단입니다. 팔짱을 끼는 태도는 방어적일 수 있고, 고개를 끄덕이는 동작은 동의나 이해의 신호입니다. 제스처의 미묘한 차이에 따라 전혀 다른 메시지가 전달될 수 있습니다.

개인 간 거리 또한 중요한 의미를 지닙니다. 가까운 거리는 친밀감을, 먼 거리는 소원함과 경계심을 나타냅니다. 대화의 주제와 관계에 따라 적절한 거리를 취해야 상대방 또한 편안함을 느끼게 됩니다.

마지막으로 음성의 톤과 리듬에 주목해야 합니다. 부드럽고 느린 목소리는 평온함을, 거친 말투는 긴장이나 흥분을 의미합니다. 리듬의 변화는 강조하고자 하는 부분을 알려줍니다. 바로 이런 미세한 차이를 포착할 때 비로소 상대방이 말하고자 하는 바를 이해할 수 있습니다.

이처럼 비언어적 신호는 말 그 이상의 의미를 전달합니다. 우리는 언어적 메시지와 더불어 이러한 신호를 주의 깊게 관찰하고 해석해야 진정한 소통이 가능해집니다. 비언어적 의사소통 능력은 인간관계에서 필수적인 자질이 될 것입니다.

-상대의 비언어적 표현을 이해하는 것이 중요합니다-

2-3. 비언어적 신호를 활용한 공감 능력 향상

아래의 대화 내용을 집에서 딸과 나누는 대화라고 생각하시고 비언어적 표현을 떠올리며 집중해서 읽어보세요.

예시1)

저녁 시간, 딸과 엄마는 밥을 먹고 난 후 차 한잔을 마시려고 합니다. 그런데 왠지 오늘따라 딸이 조용합니다. 지나가는 시간만큼이나 고요한 이 공간에서, 엄마는 딸이 무언가 말하고 싶어 한다는 생각에 눈을 마주치며 봅니다. 아무 말도 하지 않고 살짝 미소를 띄우자 딸 또한 엄마의 미소를 보고 말문을 열었습니다.

"엄마, 나 진짜 모르겠어요. 일을 시작해야 할지, 아니면 편입 공부를 더 해야 할지..." 딸이 조심스레 입을 열자 눈동자는 불확실함으로 흔들렸습니다.

엄마는 대답 대신 딸의 눈을 바라보았습니다. 그 눈빛은 어릴 적 학교에서 돌아와 꿈을 펼쳐놓을 때와 다르지 않았습니다. 하지만 이번에는 그 꿈 들 사이에서 갈등이 느껴졌습니다.

딸의 손을 부드럽게 잡으며, 엄마는 자신의 걱정을 숨기려 애썼습니다. 엄마의 손길에는 따스함과 응원의 메시지가 담겨 있었습니다. "딸아, 네 마음이 원하는 게 무엇인지 들어보자. 너의 선택이 무엇이든 엄마는 너를 지지할 거야."

딸은 엄마의 손에서 전해지는 온기를 느꼈습니다. 그 순간, 말로는 표현되지 않은 수많은 의미가 딸의 마음속으로 스며들었습니다. 안정감, 이해, 그리고 무엇보다 무조건적인 사랑이었습니다.

"하지만 엄마, 만약 실패하면 어떡해요? 내가 잘못된 선택을 한다면요?" 딸의 목소리에는 걱정이 가득했습니다.

엄마는 미소를 지으며 천천히 눈을 떴습니다. 그 미소는 격려와 신뢰를 담고 있었고, 눈맞춤에서는 '괜찮아, 너는 할 수 있어'라는 무언의 메시지가 전해졌습니다.

식탁 위 머그잔에서 피어 오르는 따스한 수증기처럼, 엄마와 딸 사이의 비언어적 소통 또한 온기를 더해갔습니다. 엄마의 눈길, 손길, 미소에서 딸은 불안을 넘어설 힘을 얻고 있었습니다.

"엄마, 나... 아직 확신이 없어요. 하지만 엄마가 이렇게 믿어주니 용기가 조금은 나요. 아마 내 길을 찾아갈 수 있을 것 같아요."

엄마는 딸의 어깨를 토닥이며 마시던 차를 계속 마셨습니다. 그리고 딸의 진로 결정에 대한 이야기를 다정한 눈빛으로 들어주었습니다. 딸은 엄마의 말에 용기를 얻고 기운이 났습니다.

이 이야기에서 엄마는 많은 말을 하지는 않았습니다. 다만 다음과 같은 비언어적 신호와 몸짓을 통해 딸의 감정과 생각을 이해하고, 그에 대해 이해하고 공감하려 했고 적절히 반응했습니다. 딸의 입장에서는 어떤 해결책을 제시하고 조언을 해줄 때 보다 어쩌면 마음이 더 편해지고 걱정이 줄어들 수도 있습니다. 이 대화에서 비언어적 표현들이 어떻게 대화의 감초 역할을 했는지 알아보겠습니다.

첫째, 눈 맞춤은 집중과 존중의 의미를 전달했습니다. 엄마가 딸의 눈을 바라본 것은 딸의 고민에 귀 기울이고 있음을 보여주었습니다. 이를 통해 딸은 마음을 열고 이야기할 수 있는 안전한 분위기를 얻었습니다.

둘째, 손잡기는 지지와 이해의 메시지를 전했습니다. 엄마의 부드러운 손길은 딸의 걱정을 함께 나누겠다는 의지를 비춰주었습니다. 이렇게 엄마가 딸을 감싸 안음으로써 딸은 힘든 상황에서도 혼자가 아님을 실감했을 것입니다.

셋째, 미소와 표정은 긍정과 응원의 뜻을 담고 있었습니다. 엄마의 미소는 믿음과 격려가 되었고, 딸에게 용기를 북돋워 주었습니다. 이처럼 얼굴 표정으로 엄마는 딸의 선택을 진심으로 지지한다는 점을 비치고 있었습니다.

넷째, 어깨를 토닥이는 등의 신체적 접촉은 위안과 보호의 느낌을 안겨주었습니다. 이를 통해 어려운 상황에서도 엄마가 곁에서 힘이 되어줄 것임을 다시 한번 각인시켰습니다.

마지막으로 말없이 경청하는 엄마의 인내심 있는 자세 또한 중요한 비언어적 요소였습니다. 이를 통해 딸은 자신의 생각을 충분히 표현할 수 있었고, 엄마로부터 이해 받고 있다고 느꼈을 것입니다.

엄마가 이렇게 믿어주니까, 조금은 용기가 나요."

"괜찮아, 넌 할 수 있어! 엄마는 널 믿어."

이 대화에서 엄마와 딸은 다양한 비언어적 표현을 통해 서로를 이해하고 공감대를 형성해 나갔습니다. 눈맞춤으로 주의를 기울였고, 손잡기로 지지와 안정감을 전달했습니다. 미소와 표정으로는 격려와 신뢰를 표현하였으며, 신체적 접촉으로 위안과 보호를 느끼게 해주었습니다. 아울러 말없이 경청하는 자세로 딸의 생각을 충분히 존중하고 이해하고자 했습니다. 엄마의 이러한 비언어적 신호와 몸짓은 딸의 고민과 불안을 이해하고, 긍정적인 반응과 지지를 보내줌으로써 딸이 자신감을 가지고 자신의 결정을 내릴 수 있도록 도와줍니다. 이와 같이 비언어적 커뮤니케이션의 힘이 얼마나 강력할 수 있는지 보여주는 예시입니다.

누군가 해결책을 요청하거나 어떻게 해야 할지 물어본다면, 그들이 직면한 문제에 대해 함께 생각하고, 지지를 표현하는 방식으로 도울 수 있습니다. 다른 상황에서 자녀와의 또 다른 예시를 들어보겠습니다.

예시2)

엄마는 평소보다 조금 늦게 집에 돌아온 중학생 딸과 대화를 나눕니다. 딸은 오늘 학교에서 있었던 일에 대해 말하기를 꺼려하는 것 같습니다. 엄마는 딸의 비언어적 신호에 주목하기 시작합니다. 딸이 이야기하는 동안, 그녀는 눈을 마주치지 않고, 발을 바닥에 문지르며, 짜증이 난 표정으로 한숨을 쉽니다. 이런 행동은 딸이 불안하거나 불편함을 느끼고 있을 수 있음을 나타낼 수 있습니다. 또한, 딸이 대화 중간에 자주 한숨을 쉬고 목소리가 작아지는 것을 듣고, 엄마는 딸이 어떤 문제에 직면해 있을 수도 있음을 짐작하게 됩니다.

엄마: "괜찮니? 네가 편할 때까지 기다릴게. 준비가 되면 어떤 일이 있었는지 엄마한테 말해줄 수 있어?"

딸은 한숨을 쉬며 대답을 꺼리다가, 엄마의 다정한 목소리에 조금씩 마음을 엽니다.

잠시 후, 딸은 눈물을 글썽이며 학교에서 친구들과의 다툼에 대해 이야기하기 시작합니다.

엄마: "그랬구나, 정말 힘들었겠다. 엄마한테 말하고 싶어 졌으면 이제 편하게 이야기해도 되."

딸: "그게... 학교에서 친구들 하고 좀 싸웠어요. 내가 잘못한 건 아닌데, 모두가 나한테 화를 내고... 정말 억울해요."

엄마는 딸의 손을 잡고, 이야기에 귀 기울입니다. 딸이 조금 더 편안하게 느낄 수 있도록 따뜻한 미소를 지으며, 고개를 끄덕이며 경청합니다.

딸은 엄마의 격려에 마음을 열고, 오늘 있었던 일에 대해 자세히 이야기하기 시작합니다. 학교에서 벌어진 일, 친구들과의 오해, 그리고 그 상황에서 느꼈던 감정들에 대해 말합니다.

엄마: "모두가 네 탓만 하는 상황에서 네가 느꼈을 억울함과 마음의 상처. 엄마도 너처럼 많이 속상하구나. 하지만 그런 상황에서도 심하게

다투지 않고 잘 대처했어. 대견하다. 중요한 건, 이제부터 이 어려운 상황에서 어떻게 행동하느냐야. "

딸: "정말요? 믿었던 친구들 한테 배신당한 기분이었고 너무 화가 났어요"

엄마: "네 진정한 친구들은 결국 너의 진심을 알아볼 거야. 그리고 네가 이런 경험을 통해 친구 관계에 대해서 더 강해질 수 있을 거라고 믿어. 엄마는 항상 네 편이야."

딸은 엄마의 말에 고개를 끄덕이며, 자신도 모르게 기분이 한결 나아집니다.

대화가 끝난 후, 딸은 홀가분해 보이고 엄마에게 감사의 표시로 포옹을 합니다. 엄마는 딸의 비언어적 신호를 주의 깊게 관찰하고 적절하게 반응함으로써, 딸이 어려운 상황을 극복하도록 도울 수 있었습니다.

예시3)

남편이 평소보다 퇴근이 늦어져서 아내는 걱정이 되었습니다. 늦게 귀가한 남편이 부엌에 들어서자마자 뭔가 평소와 다른 분위기를 느낍니다. 남편의 얼굴은 어두워 보이고, 평소와 달리 집에 들어서자마자 그녀와 눈을 마주치려 하지 않습니다. 아내는 조심스럽게 남편에게 다가가 손을 잡으며 말을 건넵니다.

아내: "오늘 무슨 일이 있었는지 말해줄 수 있어? 뭔가 마음에 걸리는 일이 있는 것 같아."

남편은 처음에는 말을 꺼리다가, 아내의 따뜻한 손길과 격려에 조금씩 마음의 문을 엽니다.

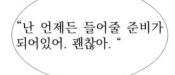

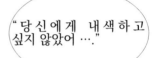

남편: "오늘 회사에서... 상사한테 좀 혼났어. 내가 맡은 프로젝트에 문제가 생겼다고, 내 탓만 하더라고. 정말 답답하고 억울해."

아내는 남편의 이야기를 조심스럽게 듣고, 그의 손을 더 꼭 잡아줍니다. 남편의 목소리에서 느껴지는 스트레스와 좌절감을 감지하고, 그를 위로하기 위해 노력합니다.

아내: "정말 힘들었겠다. 너무 자책하지 않았으면 좋겠어. 모든 일이 항상 완벽할 순 없으니까. 오늘도 하루 종일 일하고 이제야 퇴근했는데 이것 만으로도 오늘 정말 고생이 많았어!"

남편은 아내의 말에 조금씩 마음이 누그러지며, 두 사람은 식탁에 앉아 더 깊은 대화를 나눕니다. 아내는 남편에게 긍정적인 면을 상기시켜주고, 비슷한 상황을 어떻게 극복했는지 자신의 경험도 공유합니다.

아내: "기억나? 작년에 내가 비슷한 상황에 처했을 때, 네가 내게 해준 말. '실패는 성공으로 가는 길에 있는 작은 돌멩이일 뿐'이라고. 이번 일도 그렇게 생각해보면 어때?"

남편은 아내의 격려와 공감에 마음이 한결 가벼워지며, 처음으로 오늘 있었던 일에 대해 더 깊이 있게 이야기합니다. 두 사람은 서로를 이해하고 응원하는 대화를 통해 더욱 가까워집니다. 대화가 끝나고, 남편은 아내에게 감사를 표하며, 이 어려운 시간을 함께 극복할 수 있게 해준 아내에게 깊은 고마움을 느낍니다.

자녀와의 대화 에서처럼 이경우에도 부부가 서로의 비언어적 신호에 주의를 기울이고 적절하게 반응함으로써, 부부는 서로의 감정을 더 깊이 이해하고 위로할 수 있게 되었습니다.

그러나 만약 상대방의 이야기를 듣고 그런 공감의 말이나 위로의 말이 나오지 않고 '너만 힘드니? 나도 힘들어' 라 고 생각하거나 '뭐 그런 걸 갖고 남자가 쪼잔하게 저러고 다니냐?' 라 고 생각 할수도 있습니다. 또는 위로를 해주기는 하지만 진심으로 공감을 하지 못하고 내면의 감정이나 생각이 겉으로 드러난 나의 태도나 말과 다를 때가 있습니다. 이를 조화롭게 다루는 것은 대인 관계에서 중요한 과제입니다. 그런 마음이 든다면 먼저 나 자신의 내면을 강화하는 연습을 먼저 해보는 것이 매우 중요합니다.

타인의 문제를 듣고 공감이 잘 되지 않거나 속마음과 겉마음이 다르게 느껴진다면 아래와 같은 방법을 통해 먼저 나 자신의 내면을 강화해보면 도움이 될 것입니다.

우선 자기인식을 키우는 것이 중요합니다. 자신이 실제로 느끼는 바를 정확히 인식하고 탐색해야 합니다. 때로 우리가 표현하는 것과 내면의 생각이 다를 수 있기에, 이를 잘 분별하는 자기인식이 필요한 것입니다.

다음으로 소통의 중요성을 인식해야 합니다. 자신의 진짜 감정을 상대방에게 솔직하고 적절하게 표현함으로써 오해의 소지를 줄일 수 있습니다. '나'메시지를 활용하거나 감정을 명확히 설명하는 등의 방법을 쓸 수 있습니다.

아울러 상대방의 입장에서 공감하고 경청하려는 자세도 필요합니다. 그들의 말과 비언어적 신호에 주의를 기울여 그들의 감정과 생각을 이해하고자 노력해야 합니다.

때로는 내면과 외부 표현 사이의 갈등이 일어날 수 있습니다. 이때는 건설적인 갈등 해결 전략을 활용하는 것이 좋습니다. 상황을 평온히 논의하고, 서로를 존중하며 상호 이해의 바탕 위에서 해법을 찾아내는 것입니다.

마지막으로 자기 돌봄의 중요성을 간과해서는 안 됩니다. 운동, 명상, 취미활동 등을 통해 스트레스를 관리하고 감정적 안정을 도모해야 합니다. 이는 내면과 외부의 일치도를 높여줄 것입니다.

이처럼 자기인식, 소통, 공감, 갈등 해결, 자기 관리 등의 방법을 동원한다면 내면의 생각과 표현이 다를 때도 건강한 대인관계를 유지해 나갈 수 있을 것입니다. 우리 모두의 내면을 들여다보고 다스리는 지속적인 노력이 필요한 이유이기도 합니다.

예시4)

회사에서 승진에 대한 기대를 갖고 있었던 아내는 뜻하지 않게 승진에서 미끄러졌습니다. 이번엔 당연히 승진할 거라고 생각하고 미리 남편에게 말도 해 놓은 상태였습니다. 그래서 더욱더 속상한 나머지 실망감을 남편에게 드러내고 싶지 않았습니다. 집으로 돌아와서도 속상함과 실망을 숨기며 평소처럼 밝은 모습을 보입니다.

저녁 식사 도중, 남편은 아내의 목소리 톤이 평소와 다르고, 눈빛에서 뭔 지 모르지만 슬픔이 있음을 알아차립니다. 아내가 사실은 괜찮지 않다는 것을 감지하지만, 자신의 진심을 숨기고 있어 당황합니다.

남편: "여보, 무슨 일인지 말해봐. 정말 괜찮은 거야?"

아내는 처음에는 모든 것이 괜찮다고 대답하지만, 남편의 진심 어린 관심과 격려에 마음을 열기 시작합니다. 하지만 그녀의 입에서 나온 말은 그녀가 실제로 느끼는 것과 달랐습니다.

아내: "아니, 정말 괜찮아, 진짜야. 그냥 피곤한 것뿐이야."

남편은 아내의 말과 표정 사이의 불일치를 느끼고 혼란스러워합니다. 남편은 아내의 손을 잡고 조심스럽게 다시 묻습니다.

남편: "정말 피곤하기만 한 거야? 당신 눈빛이랑 목소리가 평소와 달라서 걱정이 돼서 하는 말이야."

이 말에 아내는 잠시 침묵하다가 마침내 진실을 고백합니다.

아내: "사실은... 오늘 승진 기회를 놓쳤어. 그런데 당신에게 내색하고 싶지 않아서... 정말 실망했고, 상처받았어."

남편은 아내의 솔직한 고백에 마음이 아프지만, 어렵게 말해 준 솔직함에 감사함을 느낍니다. 아내를 따뜻하게 안아주며 슬픔과 속상함에 공감해줍니다.

남편: " 말하고 싶지 않았는데 이렇게 말하게 돼서 정말 힘들었겠다. 괜찮으니까, 언제든 솔직하게 내색해도 돼. 살다 보면 좋은 일만 있는 것도 아니고 당연히 힘든 일도 있어. 당신이 힘들 때 그런 말 하라고 내 귀가 있는 거야. 난 다 들어줄 준비가 되어있다니까!"

아내는 남편의 말에 마음의 위로를 받고 웃음이 나옵니다.

아내: 하하하! 그래 그런 말 하라고 내 입이 있었네? 고마워 기분이 한결 나아졌어.

이러한 대화를 통해 아내는 자신의 진짜 감정을 숨기지 않아도 되는 안전한 공간이 있다는 것을 깨닫고, 남편과의 신뢰를 쌓아갑니다. 자신의 감정을 솔직하게 표현하는 것이 부담이 아니라 서로를 더 가깝게 만드는 계기가 될 수 있음을 깨닫습니다

이 예시에서 아내는 처음에 자신의 진짜 감정을 숨기려 했지만, 남편의 진심 어린 관심과 공감으로 인해 자신의 내면의 감정을 공유하게 됩니다. 이 과정에서 두 사람 사이의 소통과 이해가 깊어지며, 서로에 대한 신뢰와 유대관계가 깊어지게 됩니다. 내면의 감정이 표현과 다를 때 이를 솔직하게 공유하고 이해 받으려는 노력은 관계를 더욱 단단하게 만들어줍니다.

그러나 현실에서 위와 같은 대화가 하루 아침에 이루어지기는 어려운 것이 현실입니다. 직면한 문제에 공감하면서도 그로 인해 오히려 자신이 속상하고 기분이 언짢아지는 경우가 있습니다. 아내가 승진에서 탈락하고 그걸 말하지 않으려고 하는 상황은 '나를 무시하는 건가?'라고 생각 할 수도 있고 '내가 그만큼 중요한 사람이 아닌기?'라는 생각

이 들게 할 수도 있습니다. 때로는 상대방의 상황에 공감하려 해도 오히려 자신이 상처받거나 기분이 나빠지는 일이 있기 때문입니다.

이러한 상황에서 비언어적 신호를 이해하며 대화를 잘 이어 갈 수 있는 몇 가지 효과적인 방법을 더 확인해보고 알아보겠습니다.

예를 들어 아내가 승진에 탈락한 사실을 말하지 않을 때, 남편 입장에서는 '나를 무시하는 건가?', '내가 그만큼 중요한 사람이 아닌가?' 하는 반감이 들 수 있습니다. 이럴 때 비언어적 신호를 잘 활용하며 대화를 이어 나가는 것이 중요합니다.

첫째, 아내가 그 사실을 말하지 않는 이유를 이해하려 노력해봐야 합니다. 부끄러움, 실망감, 혼자 감정을 정리하려는 시도 등이 작용했을 수 있습니다.

둘째, 비판보다는 지지를 표현하는 것이 좋습니다. "이런 상황에선 내게 말못한 이유가 있겠지"라고 생각하며 아내를 공감하고 지지하는 태도를 보이는 것입니다.

셋째, 아내가 준비된 때에 편하게 말할 수 있는 환경을 만들어주는 것도 중요합니다. "언제든 편하게 말해도 된다"고 하여 압박 없이 대화의 문을 열어두는 겁니다.

넷째, 아내의 감정에 공감하고 이해한다는 점을 몸짓이나 말로 표현합니다. "그 상황이 정말 힘들었겠다"와 같이 상대방의 감정을 인정해주는 것이지요.

다섯째, 긍정적인 관점을 제시하여 상황을 전환하는 것도 좋습니다. "앞으로 더 성장할 거예요", "다음 기회를 준비하면 되지 않을까요?" 하며 격려하고 힘을 실어주는 것입니다.

이처럼 상대방을 이해하려 노력하고, 비판 대신 공감과 지지를 보내며, 언제든 대화할 수 있는 환경을 만들고, 긍정적 관점을 제시하는 등의 방식으로 원활한 소통을 이어 나갈 수 있습니다. 어려운 상황에서도 상호 이해의 노력을 통해 갈등을 극복해 나갈 수 있습니다.

반대로 이런 경우도 생각해 볼 수 있습니다.

예를 들어 아내가 승진 탈락 사실을 말하지 않을 때, 남편 입장에서는 '무시당한다'거나 '중요하지 않은 사람 취급을 받는다'는 생각이 들 수 있습니다. 이럴 때 남편이 먼저 자신의 감정의 근원을 찾아보고, 그 감정을 잠시 관찰하며 진정시키는 시간을 보내는 것이 좋습니다. 충동적인 반응을 자제하고 차분히 상황을 바라볼 수 있게 되지요.

그 다음으로는 부부가 서로의 입장에서 생각해보고 공감할 수 있도록 대화의 방식을 가다듬어야 합니다. 예를 들어 '나'메시지를 사용하여 자신의 감정을 표현함으로써 상대방에게 비난하지 않는 분위기를 만들 수 있습니다.

"당신이 늦게 오면 나는 외로움을 느낀다"와 같이 말이지요. 이렇게 하면 상대방도 자신의 입장을 더 잘 이해하고 공감할 수 있게 됩니다.

물론 서로의 감정을 인정하고 지지하는 것도 중요합니다. "그런 상황이 정말 힘들었겠구나. 내가 들어줄 수 있어. 이야기해도 돼" 등의 말로 상대방에게 공감과 지지를 표현한다면, 신뢰감이 높아지고 어려움을 함께 극복해 나갈 수 있습니다.

때로는 부부 사이를 넘어 가족, 친구, 전문가 등 외부의 도움을 받는 것도 고려해볼 수 있습니다. 비슷한 경험을 한 이들의 조언을 듣거나 관련 자료를 활용하는 등 다양한 방식이 가능합니다.

무엇보다도 중요한 것은 상대방의 말에 진심으로 귀 기울이려는 자세입니다. 말 그대로 '경청'하되, 단순히 듣기만 하는 것이 아니라 상대방의 감정과 의도를 이해하고자 하는 노력이 필요합니다. 상대방의 비언어적 신호를 포착하고, 적극적으로 반응을 보이며, 궁금한 점을 질문하고, 무조건 수용하는 자세를 보인다면 상대방 또한 자신의 마음을 더 열고 표현할 수 있을 것입니다.

이렇듯 때로는 자신을 돌아보고 상대방의 입장에서 생각해보는 성찰의 시간이 필요할 때가 있습니다. 그리고 대화 방식을 다듬고 상대방의 말에 귀 기울이는 자세가 뒷받침되어야 비로소 원활한 소통과 갈등 해결이 가능해집니다. 서로를 이해하고자 하는 노력이 곧 부부 관계를 더욱 돈독하게 만드는 열쇠가 되는 것입니다.

2-4. 비언어적 신호를 이해하기 위한 연습 TIP

원활한 의사소통을 위해서는 상대방의 말을 경청하는 것 외에도 그들의 비언어적 신호를 읽는 연습이 필수적입니다. 대화 상대자의 몸짓, 자세, 표정, 눈길 등에 주의를 기울이면 그들의 말 외에 숨겨진 의도나 감정까지 파악할 수 있습니다.

그렇다면 비언어적 신호 읽기를 연습하는 구체적인 방법에는 어떤 것들이 있을까요?

첫째, 상대방의 얼굴 표정에 집중해보세요. 이마의 주름, 입가 근육의 움직임, 눈썹의 모양 등이 행복, 슬픔, 화남, 당혹감 등 다양한 감정 상태를 보여줄 수 있습니다. 이런 얼굴 근육의 미세한 변화에 주목해보는 것이 중요합니다.

둘째, 손짓, 발짓, 자세 등의 몸짓 언어에도 귀 기울여보세요. 팔짱을 끼면 방어적일 수 있고, 고개를 갸웃거리면 의문이나 회의적인 마음을 내비칠 수 있습니다. 상대방의 행동거지를 면밀히 관찰해 그 이면에 숨은 메시지가 무엇인지 파악해보는 겁니다.

셋째, 시선 교환과 눈길의 움직임에도 주의를 기울이세요. 시선을 마주치는 것은 존중과 주의를 뜻하고, 회피하는 것은 어색함이나 불편함을 드러냅니다. 어디를 응시하는지, 어떤 순서로 시선을 움직이는지 등을 유심히 지켜보면 상대방의 심리 상태를 가늠할 수 있습니다.

넷째, 목소리의 톤과 말의 리듬에도 주목해보세요. 소리의 높낮이, 강약, 속도 등은 말하는 이의 감정과 태도를 드러냅니다. 억양이 높고 빠르면 긴장되거나 흥분한 상태일 수 있고, 낮고 느린 말투는 지친 모습을 표현해줍니다.

다섯째, 상대방과의 적절한 거리 유지도 중요합니다. 개인마다 인식하는 개인 공간의 영역이 다르기 때문에, 상대방이 표현하는 공간적 신호를 포착해야 합니다. 지나치게 가까운 거리는 불편함을, 먼 거리는 거리감을 줄 수 있습니다.

이렇게 다양한 방법을 통해 상대방의 비 언어적 표현을 이해하고 듣기의 기술을 익혀서 잘 활용하기를 바랍니다. 나에게 맞는 방법이 이 중에 있을 것입니다. 너무 복잡하고 귀찮으시다면 다시 강조하겠습니다. 제1장에서 알려드린 공식을 잘 듣기 위해서는 아래의 공식을 기억하시면 됩니다

대화가 술술 풀리는 경청 기술 공식

(상대방에게 몸을 기울여)눈을 맞추고+귀로 듣고

=마음으로 이해하다.

"상대방은 표정과 눈빛을 보고 그 신호를 감지합니다

"행동의 소리가 말의 소리보다 크다"

- 알버트 메라비언 -

요약정리

표정 외에도 상대방의 몸짓과 제스처도 중요한 비언어적 신호입니다. 이를 잘 관찰하고 해석한다면 그들의 마음을 더욱 깊이 이해할 수 있습니다.

첫째, 팔짱을 끼거나 다리를 꼰 자세는 방어적이거나 폐쇄적인 태도를 나타냅니다. 반대로 상체를 기울이거나 몸을 앞으로 내밀면 관심과 열린 자세를 의미합니다.

둘째, 손짓과 발짓도 주의 깊게 봐야 합니다. 손바닥을 펴거나 손가락을 가리키면 개방적인 상태이지만, 주먹을 꽉 쥐고 있다면 긴장되거나 화가 난 상황일 수 있습니다.

셋째, 고개를 끄덕이거나 젓는 동작은 각각 동의와 부정의 신호입니다. 또 얼굴을 손으로 문지르거나 머리카락을 만지작거리면 스트레스나 긴장을 떨쳐내려는 모습일 수 있습니다.

매일 아침 나는 이렇게 자신에게 상기시킨다: 오늘 내가
할 말은 내가 배울 것이 아무것도 없다. 그러니 내가 배우
려면 들어야 한다."

- Larry King -

제3장
경청의 세 번째 기술:
공감과 감정 조절

대화에서 가장 중요한 것 중 하나는 상대방의 감정을 이해하고 공감하는 것입니다. 그러나 아무리 경청하려 노력해도 때로는 상대방의 마음을 제대로 공감하지 못할 때가 있습니다. 이럴 때는 자신의 감정도 돌아보아야 합니다.

상대방의 이야기를 듣다가 '뭐 그런 게 고민이야?', '이 정도 문제로 이렇게 들 하나?' 라는 생각이 머릿속을 스치기도 합니다. 이는 상대방의 입장에서 상황을 바라보지 않고 자신의 관점에서만 판단했기 때문입니다. 이렇게 되면 공감 없는 대화가 되어 오히려 갈등을 불러일으킬 수 있습니다.

그러므로 경청할 때는 상대방의 이야기 내용 뿐만 아니라 그 이면의 감정에도 주목해야 합니다. 상대방이 어떤 기분으로 그런 이야기를 하는지 살펴보고, 그들의 입장이 되어 상황을 바라보려 노력해야 합니다.

동시에 자신의 감정 상태도 점검해야 합니다. 상대방의 이야기를 듣고 화가 나거나 짜증이 날 때가 있습니다. 이럴 때는 그 감정을 인식하고 스스로를 진정시키려 노력해야 합니다. 차분히 상황을 들여다보고 상대방의 입장에 서 보려는 자세가 필요합니다.

3-1. 공감의 중요성: 상대방의 감정 이해하기

부부 사이에도 아무리 연습을 해본다고 해도 대화가 참 힘든 경우가 있습니다. 물론 잘 실행하여 부부사이가 좋아진다며 더 이상 바랄 게 없겠습니다. 대화를 잘 하는 부부나 서로의 이야기를 잘 들어주는 사이에도 아래의 소소한 실천은 일상속에서 필요한 과정입니다. 곧 바로 실행해 본다면 관계강화에 매우 도움이 되는 방법입니다.

이를 위해 무엇보다 중요한 것이 먼저 '정기적인 우리 시간' 갖기 입니다. 부부라도 바쁜 일상 속에서 서로를 위한 시간을 제대로 갖지 못하는 경우가 많습니다. 하지만 이렇게 특별한 시간을 마련하는 것이 관계를 돈독히 하는 열쇠가 됩니다.

'우리 시간'을 정기적으로 만들기 위해서는 작은 약속부터 정해보는 것이 좋습니다. 예를 들어 매일 저녁 식사 후 10분간 산책하기, 매주 일요일에는 좋아하는 카페에서 대화 나누기 등입니다. 이 시간을 단순히 함께 있는 것 이상의 의미로 여기세요. 평범한 대화를 통해 서로의 삶을 나누고, 상대방에게 얼마나 중요한 존재인지를 되새기는 시간이 되어야 합니다.

또한 주간 데이트 데이를 정해 식사나 영화 관람 등의 활동을 함께 하는 것도 좋습니다. 서로의 취미를 공유하거나 새로운 취미를 함께 시작해보세요. 요리 클래스를 듣거나 정원 가꾸기, 운동 등 관심사를 함께하면 유대감이 더욱 돈독해집니다.

무엇보다 '우리 시간'에는 마음을 열고 깊은 대화를 나누는 것이 중요합니다. 서로의 진솔한 감정과 생각을 털어놓아 보세요. 이를 통해 상대방을 보다 깊이 이해하고 공감할 수 있습니다.

마지막으로 하루 마무리 때 서로에 대한 감사의 말을 나누고, 장기적인 계획도 함께 세워보세요. 이렇게 작지만 의미 있는 실천을 통해 상대방을 존중하고 공감하는 법을 배울 수 있습니다.

정기적인 '우리 시간'은 부부가 서로에 대해 깊이 이해하고, 감정을 공유하며, 관계를 돈독히 하는 가장 확실한 방법입니다. 바쁜 일상 속에서도 작은 시간을 내어 상대방과 소통하고자 하는 노력이 있다면, 행복한 부부 관계는 멀리 있지 않을 것입니다.

다음은 아주 작은 문제부터 해결해 보는 것입니다

큰 문제에 직면하기 전에 작은 문제들을 해결하는 것이 좋습니다. 문제를 해결하는 데 있어서, 큰 문제에 당면하기 전에 작은 문제부터 차근차근 해결해 나가는 것이 유리합니다. 이렇게 하면, 마치 게임에서 레벨을 하나씩 올라가듯이 대화와 협상 능력을 점진적으로 개발할 수 있습니다. 작은 문제부터 시작하면, 서로의 생각과 감정을 나누며 서로를 이해하는 법을 배웁니다. 이 과정에서 서로의 커뮤니케이션 스타일을 알게 되고, 나중에 큰 문제에 맞닥뜨렸을 때 서로의 차이를 존중하고 지지하는 방법을 알게 됩니다.

예를 들어, 가족이나 친구와 함께할 때 '무엇을 먹을지'와 같은 간단한 결정부터 시작해보세요. 이런 소소한 문제를 해결하면서, 여러분은 양보하는 법, 협상하는 법, 그리고 타협점을 찾는 법을 자연스럽게 익힐 수 있습니다. 그리고 이런 경험은 더 복잡하고 어려운 문제에 직면했을 때 강력한 자산이 됩니다. 작은 성공들이 모여 큰 성공으로 이어질 수 있도록, 일상 속에서 이러한 연습을 지속해보세요.

마지막으로 감사표현 습관화해보기입니다.

서로에 대한 감사와 인정을 자주 표현하면 긍정적인 관계를 만들어줍니다. 작은 친절이나 성의 있는 행동에 대해 감사를 표현하는 것은 상대방을 소중히 여기고 있다는 메시지를 전달합니다

사람들 사이에서 서로 감사의 마음을 나누는 것은 관계를 좋게 만들고, 우정을 깊게 하는 중요한 행위입니다. 간단하게 '고마워'라 고 말하거나, 상대방이 해준 일에 대해 칭찬하는 것만으로도 충분해요. 이런 행동은 상대방에게 '네가 나에게 중요하고, 네가 한 일을 나는 높이 평가해'라는 메시지를 전달합니다.

"직장에서 동료가 자꾸만 고민을 털어놓아요."

동료의 고민, 직장에서의 경청과 경계

직장에서 동료가 고민을 자꾸 털어놓을 때가 있습니다. 동료들의 개인적인 고민을 듣는 것은 도전이 될 수 있습니다. 어떤 경우는 그런 상황이 종종 우리의 업무 일부가 될 수 있습니다. 하지만 이런 상황에서는 동료에게 공감을 표현하면서도, 자신의 업무 효율성과 정신 건강을 해치지 않도록 주의해야 합니다. 여기에서는 '동료가 고민을 털어놓았을 때' 또는 그와 유사한 상황이 생겼을 때 공감과 지원을 표현하는 방법과 함께, 건강한 직장 관계를 유지하기 위한 경계 설정을 하는 방법에 대해서 알아보겠습니다.

먼저 동료의 상황과 감정을 깊이 있게 이해하려 노력해야 합니다. 이야기를 주의 깊게 듣고, 공감과 질문을 통해 더 많은 정보를 얻는 것이 중요합니다. "그랬구나. 그 상황이 너무 힘들었겠구나. 진짜 쉽지 않은 상황이었겠다. "라고 말할 수 있습니다.

그 다음으로는 동료가 지금 어떤 감정을 느끼고 있는지 확인하고 반영해주어야 합니다. "(상대방의 감정을 확인하고 공감해주며) 맞아 맞아. 그런 상황에서야 누구라도 그랬을 거야. 라 고 공감해주면 좋습니다.

해결책을 직접 제시하기보다는 동료 스스로 답을 찾을 수 있도록 지원해주는 것이 좋습니다. "그런데 이렇게 혼자 고민하기 보다는 같이 해결책을 찾아보는 게 어떨까? 내 생각에는 00이렇게 해보는 건 어떨까?"

이런 식의 아이디어를 내면서도 동료의 의견을 존중해주고, "아니면 네 생각엔 어떤 방법이 좋을 것 같아?" 등 장단점을 열린 자세로 토론해보는 것도 좋은 방법입니다.

어떻게 해볼 생각이야? 어차피 해결책은 너가 정해야겠지만, 난 널 믿고 있으니까 힘내서 해봐. 어려운 게 있으면 언제든 말해." 이렇게

어떤 결정을 하든 동료를 지지하고 격려해주는 것이 중요합니다.

마지막으로 문제가 너무 복잡하다면 전문가의 도움을 받는 것도 한 방법입니다. "전문가와 상담해보는 것은 어떨까? 함께 알아볼까?"라고 제안해볼 수 있습니다.

이렇게 경청하고 공감하며, 스스로 해결책을 찾을 수 있도록 지원하고, 지지와 격려를 아끼지 않는다면 직장 동료의 고민을 잘 들어줄 수 있을 것입니다.

종교적인 조언이나 너무 추상적인 충고는 신중하게 사용해야 합니다.

종교적인 내용이나 마음공부로 상대방에게 조언하고 싶을 때는 그것이 상대방에게 도움이 되는지, 그리고 상대방의 가치관과 얼마나 일치하는지를 신중하게 고려해야 합니다. 이러한 접근이 상대방에게 의미있고 수용 가능하다면, 그 방향으로 대화를 이끌어가는 것도 하나의 방법입니다. 종교적 내용이나 마음공부를 대화에 적용하고 싶다면 몇 가지 효과적인 방법을 알아보겠습니다:

먼저 상대방의 관점을 이해해야 합니다. 대화를 시작하기 전에, 상대방의 종교적 신념이나 철학적 관점을 이해하는 것이 중요합니다. 이것은 상대방이 어떤 종류의 조언이나 관점을 좀 더 수용할 가능성이 있는지 판단하는 데 도움이 됩니다. 예를 들어, 상대방이 특정 종교적 배경을 가지고 있거나 마음공부에 관심이 많다면, 그에 맞는 조언을 해줄 수도 있습니다.

□그럼 종교적, 철학적 내용을 실제 상황에 적용한다면 어떻게 설명하면 좋을까요?

예를 들어, 불교에서는 마음의 평화를 찾기 위해 명상을 권장합니다 많은 상황에서 명상을 통해 내면의 평정을 유지하는 방법을 권유할 수 있습니다.

상대방이 자신의 생각과 느낌을 표현할 수 있도록 개방된 질문을 사용하세요. 예를 들어, "이 상황에서 어떤 신념이나 가치가 당신에게 힘을 주나요?" 또는 "이 문제를 어떻게 해결하는 것이 당신의 철학이나 신념과 일치하나요?"와 같은 질문을 통해 대화를 깊이 있게 이끌 수 있습니다.

종교적이거나 철학적인 조언을 제시할 때는 결코 강요하지 않도록 주의해야 합니다. 이러한 접근이 상대방에게 맞지 않을 수도 있으며, 강요는 오히려 대화를 닫히게 만들 수 있습니다. 상대방이 편안하게 느끼고 수용할 수 있는 방식으로 조언을 제시하세요.

상대방의 이야기를 주의 깊게 듣고, 그들의 감정과 생각을 공감해 주세요. 이는 상대방이 자신의 생각과 감정을 더 자유롭게 표현하도록 돕고, 대화가 더 긍정적이고 건설적인 방향으로 나아가는 데 중요합니다.

종교적이나 철학적인 조언을 적절하게 통합하면, 그것이 상대방의 삶에 긍정적인 변화를 가져오는 데 도움이 될 수 있습니다. 핵심은 상대방의 개인적인 신념과 상황에 맞게 조언을 맞추는 것입니다.

아래에는 대화 상대방이 고민하는 내용에 대해서 종교적 또는 철학적 조언을 해줄 때 예시를 들어보겠습니다.

동료: 요즘 정말 힘들다. 일도 많아지고 개인 생활도 제대로 만끽하기 힘들어. 스트레스 받아서 계속 힘들어하고 있는데, 어떻게 하면 이 상황을 잘 견딜 수 있을까?

나: 오 맞아 요즘 참 바쁘고 힘든 상황이었겠다. 일과 개인 생활의 밸런스를 맞추기가 너무 어려웠나 보네.

동료: 그러게 말이야. 마음 같아서는 좀 여유를 가지고 싶은데, 그렇다고 일에 소홀히 할 순 없잖아. 답답하더라고.

나: 그래그래 충분히 그런 마음이 들 수 있지. 혹시 그런 때 마음의 평화를 찾거나 스트레스를 다스릴 만한 방법 없었어?

동료: 나 사실 특별한 방법은 없었어. 그냥 열심히 일하다가 주말 되면 쉬면서 버텼지 뭐.

나: 아 그렇구나. 근데 가끔은 잠깐의 휴식도 중요하더라고. 너도 알다시피 우리가 일에만 매몰되어 있으면 삶의 여유가 없어지잖아.

동료: 그래서 어떻게 하면 좋을까?

나: 이건 개인적인 의견인데, 어려운 상황에서도 자신의 마음을 다스리는 연습을 해보는 게 어떨까 싶어. 예를 들어 하루에 5-10분만이라도 자기 자신에게 집중하는 시간을 가져봐.

동료: 어떻게 하는 건데?

나: 편한 자세로 앉아서 호흡에만 집중해봐. 천천히 숨을 들이쉬고 내쉬면서 오직 호흡에만 정신을 집중하는 거야. 마음이 계속 흐트러지겠지만 그럴 때마다 다시 호흡으로 돌아오면 돼.

동료: 그렇게 하면 좀 나아질까?

나: 꾸준히 해보면 마음이 놀랍게 진정되더라고. 물론 한 번에 되진 않겠지만, 호흡을 통해 자신에게 집중하다 보면 스트레스도 풀리고 힘도 나게 돼. 그리고 중요한 건 자신을 너그럽게 대하는 거야. 완벽하길 바라지 마. 있는 그대로를 받아들이면서 최선을 다하는 게 중요해.

동료: 그렇구나. 한번 호흡 집중해보고 시간 내서 자기 시간도 가져봐

야겠다. 고마워 좋은 방법 알려줘서.

이런 식으로 동료의 고민을 경청하고 자신의 경험을 솔직하게 나누면서 실질적인 조언을 해주면 좋을 것 같습니다. 지나치게 철학적이거나 종교적인 얘기로 흐르지 않게 주의하면서도, 마음가짐에 대한 대화를 자연스럽게 나누는 것이 중요해 보입니다.

업무 환경에서 동료들과 돈독한 관계를 쌓는 것은 중요합니다. 특히 동료가 어려움을 겪고 있을 때 그들의 고민에 귀 기울여주는 것은 신뢰를 쌓는 좋은 방법입니다. 하지만 그들의 고민을 들어주는 과정에서도 적절한 경계를 지켜야 합니다. 먼저 감정적인 분리를 유지해야 합니다. 동료의 문제에 공감하되, 그것이 내 문제는 아니라는 사실을 명심하는 것이 중요합니다. 상대방의 고민에 너무 몰입하지 않도록 주의해야 합니다.

동료의 고민을 경청하는 일은 매우 의미 있지만, 지나치게 개입하거나 조언을 해주다 보면 오히려 상황을 악화시킬 수 있습니다. 특히 너무 종교적이거나 추상적인 충고는 신중을 기해야 합니다.

"모든 일은 이유가 있어서 일어난다" 혹은 "기도하면 해결될 거야"와 같은 말은 일부에게는 위안이 되겠지만, 다른 이들에게는 자신의 감정을 충분히 이해 받지 못한다는 인상을 줄 수 있습니다. 상대방의 배경이나 상황을 모르는 상태에서 너무 성급한 조언은 오해를 불러일으킬 수 있습니다.

대신 "구체적으로 어떤 문제가 있는지 얘기해주면 어떨까?"와 같이 상대방의 이야기를 더 듣고자 하는 자세가 필요합니다. 이를 통해 상대방도 자신의 감정을 더 편안하게 꺼 내놓을 수 있게 됩니다.

동료의 고민을 들어줄 때는 전문가적 자세보다 동료로서 지지하는 태도가 중요합니다. 그러나 동시에 자신의 정신건강을 지키며 건강을 보호하는 자세도 필요합니다.

먼저 감정적 분리를 유지해야 합니다. 공감은 하되 상대방의 문제에 너무 몰입하지 않도록 주의해야 합니다. 퇴근 후에는 개인 시간을 가져 재충전하는 것이 좋습니다.

또한 적극적으로 경청하되, 해결책 제시보다는 상대방이 이야기할 수 있는 공간을 마련해주는 데 집중합니다. 공감의 말을 전하며 상대방을 지지하되 자신의 역할을 명확히 해야 합니다.

상담 후에는 스트레스 해소를 위해 가벼운 산책이나 취미활동 등 자기 관리 시간을 가지는 것이 좋습니다. 주기적으로 자신의 감정 상태도 점검해보아야 합니다.

마지막으로 동료의 고민 수준이 전문적 도움이 필요한 정도라면, 상담 서비스를 권유해볼 수 있습니다. 하지만 모든 문제 해결을 자신이 책임지려 하지 말고, 자신의 건강과 정신건강도 동시에 살펴야 합니다.

이처럼 동료의 고민을 들어주되 적절한 경계를 지키며, 종교적이거나 추상적인 조언보다는 구체적인 경청을 실천한다면 서로를 보다 잘 이해할 수 있습니다.

3-2. 경청을 방해하는 요소: 선입견과 판단

경청의 가장 큰 적, 바로 '선입견과 판단'에 대해 알아보겠습니다.*

우리는 누구나 선입견을 가지고 있습니다. 이는 과거의 경험과 지식, 가치관에 기반한 것으로 무의식적으로 작용하는 편견입니다. 하지만 이런 선입견이 지나치면 상대방을 제대로 이해하지 못하고 경청하는데 큰 방해가 됩니다.

예를 들어보겠습니다. 친구가 새로운 직장 생활에 대한 고민을 얘기할 때 "뭐 그런 거 가지고 그래? 다들 힘들어하는 거야"라고 단정 짓는다면 어떨까요? 이는 상대방의 입장과 감정을 전혀 고려하지 않은채 자신의 기준과 가치관으로만 판단한 것입니다.

이럴 경우 상대방은 자신의 이야기를 충분히 했다고 느끼지 못하고 공감 받지 못했다고 생각하게 됩니다. 결국 대화가 원활히 이어지기 어려워지는 것이죠.

또한 "너는 항상 이렇게 행동하더라" 식의 고정관념을 갖고 상대방을 판단하는 것도 경청을 가로막습니다. 사람은 매 상황마다 다른 모습을 보일 수 있습니다. 하지만 그런 모습을 예전의 판단 기준으로만 본다면 상대방을 있는 그대로 이해하기 어렵습니다.

그렇다면 우리는 어떻게 해야 할까요? 바로 '개방적 자세'가 필요합니다. 선입견이나 과거의 기준으로 상대를 판단하기에 앞서, 열린 마음으로 그들의 이야기에 귀 기울여야 합니다. 상대방의 언행에는 각자의 사연과 맥락이 있을 것입니다.

상대방을 있는 그대로 받아들이고, 그들의 입장에 서서 바라보려 노력할 때 비로소 진정한 경청과 이해가 가능해집니다. 이를 위해서는 '무조건적인 존중'의 자세가 필요합니다.

평소에도 주변 사람들의 이야기를 들을 때 자신의 선입견을 과감히 내려놓고 개방적인 자세로 임하는 연습을 해보시기 바랍니다. 그렇게 함으로써 여러분 모두 상대방의 마음을 보다 잘 이해할 수 있게 될 것입니다

대화에서 가장 중요한 것은 상대방의 이야기에 귀 기울이고, 그들의 감정과 입장을 이해하려 노력하는 것입니다.

하지만 이렇게 경청하는 일은 의외로 어려운 과제입니다. 그 이유 중 하나는 바로 우리가 가진 '선입견과 판단' 때문입니다.

모든 사람은 자신만의 가치관과 인생관, 그리고 과거의 경험을 바탕으로 세상을 바라봅니다. 이를 통해 편견과 고정관념, 선입견 등이 무의식중에 자리 잡게 됩니다. 물론 이것이 전적으로 나쁜 것은 아닙니다. 세상을 보는 안내자 역할도 하고, 때로는 위험을 피할 수 있게 해주기도 합니다.

하지만 문제는 이런 선입견과 판단이 지나쳐 상대방을 제대로 들어주지 못하게 만든다는 데 있습니다.

부부사이에서 예를 들어보겠습니다. 아내가 직장에서 있었던 일을 꺼내면서 "오늘 어떤 상황이 있어서 너무 힘들었어"라고 말합니다. 그런데 남편이 "뭐 그런 게 다 있지, 다들 힘들어하는 거야"라고 받아친다면 어떨까요?

이는 아내의 고민과 느낌을 도외시한 채 자신의 기준으로만 판단한 것입니다. 아내는 이해받지 못했다는 생각에 더욱 힘들어질 수밖에 없습니다. 왜 이렇게 되었을까요? 바로 선입견이 작용했기 때문입니다.

'그런 정도의 일이라면 힘들 것이 없다'는 선입견으로 아내의 감정에 공감하지 못한 것입니다.

또 다른 예시를 들어보겠습니다. 아내가 남편에게 "요즘 당신은 자주 화를 내는 것 같아"라고 말했습니다. 그런데 남편이 "너는 나를 잘 이해하지 못하니까"라고 반박합니다. 이는 '전에는 화를 내지 않았다'는 고정관념에서 비롯된 것입니다. 하지만 사람은 상황에 따라 감정과 태도가 변할 수 있습니다. 과거의 경험과 기억에만 의존해서는 상대방의 현재 모습을 있는 그대로 볼 수 없습니다.

이렇듯 선입견과 성급한 판단은 경청의 큰 적입니다. 상대방을 이해하려면 먼저 열린 자세로 그들의 이야기에 귀 기울여야 합니다. 상대방의 행동과 감정에는 각자의 사연과 맥락이 있기 마련입니다. 그것을 간과한다면 진정한 소통은 불 가능해집니다.

때로는 상대방의 생각이나 태도가 이해되지 않을 수 있습니다. 하지만 그때마다 판단하기보다는 물어보고 경청하려 노력해야 합니다. 상대방의 입장에서 바라보려 하고, 기꺼이 그들을 존중할 때 비로소 공감과 이해가 가능해집니다.

부모와 자녀 간의 원활한 대화를 위해서는 서로를 열린 자세로 경청하는 것이 무엇보다 중요합니다. 하지만 때로는 부모가 자녀에 대한 선입견과 성급한 판단으로 인해 자녀의 이야기를 제대로 듣지 못하는 경우가 있습니다.

예를 들어 자녀가 "요새 친구들과 사이가 안 좋아서 힘들어요"라고 말했는데, 부모가 "네 나이 때는 다 그런 거야. 시간이 지나면 잘 해결될 거야"라고 받아친다면 어떨까요? 이는 부모 세대의 경험과 기준에 비추어 자녀의 고민을 판단한 것입니다. 하지만 자녀 입장에서는 자신의 느낌이 제대로 이해받지 못했다고 여길 수 있습니다.

이처럼 부모가 자녀에 대한 선입견을 가지고 있다면 자녀의 말에 귀기울이기 어려워집니다. "너는 예전에도 이랬잖아" 라는 식의 고정관념에 사로잡혀 자녀의 현재 모습을 있는 그대로 바라보지 못하게 되는 것입니다.

혹은 어떤 부모는 "너 같은 나이 때는 그런 고민 없었다"라며 자녀의 고민 자체를 인정하지 않기도 합니다. 이는 자녀와 부모 사이의 세대 차이를 고려하지 않은 데서 비롯된 선입견입니다.

그렇다면 부모는 어떻게 해야 할까요? 바로 자녀에 대한 선입견을 내려놓고 열린 마음으로 그들의 이야기에 귀 기울여야 합니다. 자녀의 행동과 말 속에는 반드시 이유와 맥락이 있을 것입니다. 이를 외면한 채 과거의 기억이나 기준으로만 판단한다면 자녀를 제대로 이해하기 어려워집니다.

때로는 자녀의 생각이나 태도가 이해되지 않을 수 있습니다. 하지만 그때마다 성급히 판단하기보다는 물어보고 경청하려 노력해야 합니다. 자녀의 입장에 서서 바라보고, 기꺼이 그들을 존중할 때 비로소 진정한 소통이 가능해집니다.

부모 자신의 경험과 가치관을 절대적인 것으로 여기지 말고, 자녀의 세계를 열린 자세로 받아들이려 노력해야 합니다. 서로의 차이를 인정하고 존중하는 자세야 말로 부모와 자녀가 더 깊은 이해의 수준에 이를 수 있는 열쇠입니다. 선입견을 내려놓고 자녀에게 귀 기울이는 연습을 해 나간다면, 부모와 자녀 모두가 행복해질 수 있을 것입니다.

'개방적 자세'와 '무조건적 존중'의 태도로 임한다면 우리는 누구나 상대방의 마음을 잘 알아차리고 이해할 수 있습니다. 선입견을 과감히 내려놓고 상대방에게 귀 기울이는 연습을 해 나가다 보면, 건강한 대화와 원활한 소통이 자연스럽게 이루어질 것입니다.

명확한 의사표현으로 갈등을 사전에 예방합니다.

자신의 필요와 기대를 분명히 표현하는 연습을 합니다. 말하지 않아도 어련히 잘 알겠지 라 고 넘겨 집집 말고, 상대방이 내 마음을 읽을 수 없다는 점을 인지하고, 자신의 생각과 감정을 명확하고 직접적으로 전달하는 것이 중요합니다. 그렇지 않으면 불필요한 오해와 서운한 감정이 생겨서 사이가 멀어질 수 있습니다. 배우자가 되었든 자녀가 되었든 말하지 않으면 잘 알지 못하는 게 당연합니다. 서운할 필요가 없다는 말입니다.

자신의 생각이나 필요를 분명하게 전달하는 것은 서로를 이해하고 존중하는 관계를 만드는 데 필수적입니다. 사람들은 마음을 읽을 수 없기 때문에, 우리가 원하는 것이나 느끼는 바를 명확히 말하지 않으면 오해가 생길 수 있습니다. 이를 위해, 자신의 감정과 필요를 분명하게 전달하는 연습이 필요합니다.

부부사이에서 명확한 의사표현을 위해 어떻게 하면 좋을까요? 부부사이가 아니어도 괜찮습니다. 일반적인 대화 시 적용할 수 있으니 한번 알아보겠습니다.

갈등이 발생했을 때 비난이 아닌 해결책에 초점을 맞추는 방법을 사용합니다.

'네가 나를 화나게 ' 보다는 '나는 이 상황에서 화가 났어'와 같이 '나' 메시지를 사용하여 자신의 감정을 표현해보세요. 이는 대화를 덜 공격적으로 만들고 상대방이 방어적으로 변하는 것을 방지합니다. 자신이 무엇을 느끼고 있는지, 왜 그런 감정을 느끼는지 스스로에게 질문해보는 것입니다. 이는 스스로의 감정을 명확히 이해하는 첫걸음입니다.

이 부분은 간단한 예시를 통해 좀 더 자세히 알아보겠습니다.

예시)

아내: "최근에 당신이 자주 야근을 하는 것 때문에, 저녁 시간에 함께 보내는 시간이 부족해진 것 같아. 혼자 밥 먹고 혼자 있는 시간이 많다 보니 조금 외로움을 느끼고 있어. 우리가 둘 다 바쁘지만, 함께 시간을 보내는 것도 중요하다고 생각해."

남편: "그렇게 느끼고 있다니 몰랐어. 나도 당신이랑 더 많은 시간을 보내고 싶어. 하지만 최근 프로젝트 때문에 어쩔 수 없이 야근을 많이 하게 됐어. 미안해."

아내: "아니야, 나도 당신이 바쁜 건 이해해. 하지만 우리가 서로를 소중히 여기고 좋은 부부관계를 유지하려면, 함께 시간을 보내는 것도 필요하다고 생각해. 이번 기회에 좋은 방법을 같이 찾아보면 어떨까?"

남편: "그래, 좋아. 함께 시간을 보낼 수 있는 방법을 찾아보자. 주말에는 특별히 시간을 내서 함께 할 수 있는 활동을 계획하는 건 어때?"

아내: "그게 좋겠다! 주말 계획을 함께 세우는 것도 즐거울 것 같아. 그리고 당신이 바쁜 날은 서로의 일정을 미리 공유해서, 둘 다 알 수 있

게 하는 것도 좋을 것 같아."

남편: "좋은 생각이야. 서로의 일정을 알면 시간 조정할 때 도움이 될 수 있을 거야. 나도 당신과 더 많은 시간을 보내고 싶으니까, 야근을 줄일 수 있는 방법을 찾아볼 게."

이 대화에서는 갈등 해결 전략이 잘 나타납니다. 아내는 '나' 메시지를 사용해 자신의 감정과 필요를 솔직하게 표현했고, 남편도 자신의 상황을 설명하며 아내의 의견에 공감했습니다. 둘 다 비난 대신 해결책에 초점을 맞추어 서로의 입장을 이해하고 존중하는 태도를 보였습니다. 간단한 이번 예시를 통해 함께 문제를 해결하기 위한 긍정적인 방안을 모색하게 되었습니다. 남편과 또는 아내와 좀 더 많은 시간을 보내고 싶으시다면 이런 대화 전략을 활용해 보시기 바랍니다.

[경청을 방해하는 선입견과 판단 요약 및 극복 TIP]

TIP: 선입견과 편견을 극복하고 상대방을 있는 그대로 바라보는 열린 자세 기르기

- 상대방의 이야기를 듣기 전에 미리 내린 판단이나 선입견은 없는지 스스로를 점검해보기

- "뭐 그런 게 다 있지", "너는 항상 이런 스타일이지" 등의 고정관념에 사로잡히지 않기

- 상대방의 행동과 말에는 나만의 기준이 아닌 각자의 사연과 맥락이 있음을 인정하기

TIP: 판단 대신 물어보고 경청하는 자세 가지기

- 상대방의 생각이나 태도가 이해되지 않을 때 성급히 판단하지 말고 물어보기

- 열린 마음으로 상대방 이야기에 귀 기울이고 그들의 입장에서 바라보려 노력하기

- 상대방을 기꺼이 존중하고 인정하는 태도가 필요

TIP: 개방적 자세로 소통의 폭 넓히기

- 자신의 경험과 가치관만을 절대적 기준으로 삼지 않기

- 상대방의 다른 세계관과 관점을 열린 자세로 받아들이기

- 서로의 차이를 인정하고 존중할 때 진정한 이해가 가능해짐

TIP: 상호 존중하며 공감의 수준 높이기

- 선입견을 과감히 내려놓고 상대방을 있는 그대로 바라보기

- 상대방의 감정과 처한 상황에 공감하려는 노력이 필요

- 무조건적인 존중을 보일 때 비로소 건강한 소통이 가능해짐

이렇게 선입견과 판단으로 인한 편견을 극복하고, 상대방을 열린 자세로 이해하고자 노력한다면 보다 원활한 의사소통과 상호 공감이 가능해질 것입니다.

[감사표현을 습관화 하는4가지 방법]

정기적인 '우리 시간'을 가짐으로써 부부가 서로에 대해 깊이 이해하고, 감정을 공유하며 관계를 돈독히 하는 것이 중요합니다. 이와 더불어 감사표현을 습관화 하는 것 또한 관계를 증진시키는 데 큰 역할을 합니다.

실천하기 쉬운 감사표현 습관화하는 4가지 방법을 알아보겠습니다.

첫째, 작은 일상에서 감사할 일들을 찾아보세요. 상대방이 해준 사소한 친절이나 배려에 대해서도 고마움을 표현하는 습관을 기르는 것이 중요합니다.

둘째, 구체적으로 감사의 이유를 말해보세요. 예를 들어 "오늘 집안 청소를 너무 깨끗이 해줘서 고마워" 라고 말하면 상대방도 자신의 노력이 인정받는다는 느낌을 받게 됩니다.

셋째, 하루 중 고정된 시간에 감사일기를 쓰는 것도 좋은 방법입니다. 그날 있었던 일 중에서 서로에게 감사했던 점들을 적어보면, 관계에 대한 소중함과 긍정적인 마음가짐을 가질 수 있습니다.

넷째, 서로의 장점이나 좋은 점을 칭찬해주는 것 또한 효과적입니다. 상대방의 노력이나 성과에 대해 인정하고 격려하면 더욱 발전할 수 있는 동기부여가 됩니다.

이렇게 작지만 꾸준한 감사표현 습관화를 통해 부부는 서로에 대한 존중과 사랑의 마음을 가지게 될 것입니다. 감사한 마음이 있을 때 관계는 더욱 행복해지고 돈독해질 수 있습니다.

3-3. 감정 조절의 기술: 감정에 끌려가지 않는 기술(감정과 상황을 활용하기)

구체적으로 요청하는 것입니다.

내가 원하는 구체적인 행동이나 변화를 상대방에게 분명히 요청해보세요. 예를 들어, '더 자주 청소해줬으면 좋겠어'보다는 '일주일에 한 번 거실을 청소해 줄 수 있을까?'라고 말하는 것이 더 명확합니다. 이렇게 자신의 감정과 필요를 명확하게 전달하는 것을 연습과 반복을 하다 보면 자신감을 높이고 의사소통 능력을 향상시킬 수 있습니다.

"저녁 식사 준비를 도와주면 정말 감사하겠어. 요즘 회사 일이 많아서 피곤하고 힘들어."

"이 프로젝트에 대해 좀 더 자세히 이야기해주면 좋겠어. 내 역할에 대해 확실히 이해하고 싶거든."

"오늘 저녁엔 집에서 조용히 시간을 보내고 싶어. 함께 좋아하는 영화를 보는 건 어때?"

이런 식으로 명확한 의사표현을 해보는 연습을 통해 점차 나아질 수 있습니다. 자신의 생각과 감정을 정확하고 직접적으로 전달함으로써, 더 건강하고 이해심 많은 부부사이가 될 수 있습니다.

유머를 적절하게 사용하는 것입니다.

때로는 유머가 긴장을 완화하고 상황을 더 쉽게 받아들일 수 있게 도와줍니다. 서로에 대한 존중을 잃지 않는 선에서 유머를 사용하는 것은 관계에 긍정적인 영향을 줄 수 있습니다. 유머가 있는 부부 치고 사이가 나쁜 부부를 보기는 어렵습니다. 그만큼 유머 감각은 윤활유 역할을 해줍니다.

우리 모두가 경험해본 바와 같이, 대화는 때로 예상치 못한 긴장과 어려움을 동반하기도 합니다. 가족 간의 미묘한 불화나 친구 사이의 작은 오해가 대화를 어렵게 만들 때가 종종 있죠. 하지만 대화의 길목에 유머라는 작은 빛을 켜는 것만으로도, 우리는 이런 긴장된 순간을 기적적으로 넘어설 수 있습니다. 유머는 마치 윤활유와 같아서 어색함을 줄이고, 긴장을 완화하며, 대화의 흐름을 부드럽게 만들어줍니다. 유머의 가장 큰 장점은 바로 '공감대 형성'입니다. 웃음은 사람들을 하나로 묶어주며, 서로를 좀 더 가까이에서, 좀 더 인간적으로 바라보게 만듭니다.

물론, 유머를 사용할 때는 조심스러워야 할 점이 있습니다. 모든 상황에서 유머가 적절한 것은 아니며, 상대방의 감정을 상하게 하지 않도록 민감성이 요구됩니다. 유머는 서로에 대한 존중을 기반으로 해야 하며, 결코 상대방을 비하하거나 놀리는 목적으로 사용되어서는 안 됩니다.

사실, 잘 사용된 유머는 대화에서 발생할 수 있는 긴장된 순간들을 해소하는 데 매우 효과적입니다. 예를 들어, 가벼운 자조적인 농담은 자신을 너무 진지하게 받아들이지 않으며, 상황을 긍정적으로 전환할 수 있다는 신호를 보냅니다. 이런 방식으로 유머를 사용하면, 상대방도 더 편안하게 느끼고, 대화에 적극적으로 참여하게 됩니다.

유머의 또 다른 측면은, 그것이 우리에게 상황을 다른 관점에서 바라볼 수 있는 기회를 제공한다는 것입니다. 때로는 문제나 갈등이 그렇게 큰 것이 아니라는 것을 깨닫게 해주며, 이는 대화를 더 생산적으로 만드는 데 도움이 됩니다.

유머가 있는 부부, 혹은 친구 관계는 그만큼 더 친밀하고 사랑스럽게 느껴지곤 합니다. 웃음과 유머는 서로의 관계를 더욱 가깝게 하고, 서로에 대한 이해와 사랑을 깊게 해주기 때문입니다. 유머를 대화의 일부로 삼을 때, 서로에 대해 더 유쾌하게 느끼게 되고, 삶의 소소한 순간들에 감사하게 됩니다.

대화가 긴장되거나 어색한 순간에 처했을 때, 유머의 힘을 빌려보세요. 적절한 유머 하나가 대화의 분위기를 바꾸고, 관계를 더욱 좋아지게 만드는 마법을 펼칠 수 있습니다.

그런데 상대방이 웃기지 않은 말을 자꾸 하면서 재미없는 말로 분위기를 띄우려고 할 때가 있습니다. 흔히 요즘말로 아재개그 한다고 하지요. '아휴, 또 저런 아재개그로 웃기려고 하네. 지겹다. 그만해라' 라고 생각하지 마시고 그런 경우에도 반대로 그에 걸 맞는 유머를 적절하게 사용하면, 분위기를 더욱 긍정적으로 전환하고 대화를 더욱 즐겁게 이어갈 수 있습니다.

여기 몇 가지 유머를 활용한 대응 방법을 제시해보겠습니다. 한번 웃고 넘어가도 좋고 직접 사용해 보아도 좋습니다. 연습을 통해 스킬 업 하시면 더욱 더 대화의 분위기를 즐겁게 만들 수 있습니다.

무표정으로 반응하는 것보다는 상황을 긍정적으로 전환하고 대화의 흐름을 유지하는 방식으로 대응하는 것이 좋습니다.

그냥 따뜻한 미소 지어 주기만 해도 좋습니다. 상대방의 말에 직접적 으로 웃지 않더라도, 따뜻한 미소를 지어주는 것만으로도 긍정적인 분 위기를 조성할 수 있습니다. 이는 상대방에게 당신이 그들의 말에 관 심을 기울이고 있다는 신호를 보낼 수 있습니다.

상황에 맞는 격려의 말 건네 보십시오. 예를 들어 "그런 생각을 하다니 참 창의적이야", "네가 그런 걸 생각해낼 줄은 몰랐어"와 같이 상대방 의 시도를 격려하는 말을 해주는 것도 좋은 방법입니다. 이는 상대방 이 자신감을 잃지 않도록 돕고, 대화를 긍정적인 방향으로 이끌 수 있 습니다.

관련된 이야기나 질문으로 이어 가면서 흐름을 타주는 것입니다. 상대방의 말에 바로 반응하기 어렵더라도, 그 말을 다른 주제로 이어갈 수 있는 질문이나 이야기를 시작해보세요. 대화가 멈추지 않고 자연스럽게 계속될 수 있도록 하는데 도움이 됩니다.

상대방의 의도나 생각을 물어보는 것도 좋습니다. 상대가 한 말의 배경이나 전달하고자 했던 생각을 묻는 것도 한 방법입니다. 예를 들어, "그 말이 무슨 의미였어?", "그 생각을 하게 된 계기가 무엇이야?"와 같은 질문으로 대화를 더 깊이 있게 이어갈 수 있습니다.

너무 진지하게 여기지 않고 상황을 가볍게 넘기는 것입니다. 때로는 상황을 가볍게 넘기는 것이 최선일 때도 있습니다. 예를 들어, "오늘 분위기가 유쾌하네!" 라고 말하며 주제를 바꿀 수 있습니다. 그런 센스를 발휘해서 대화의 분위기를 밝게 유지하면서 다른 주제로 자연스럽게 넘어갈 수 있게 해줍니다.

상대방이 재미없는 말을 했을 때의 대응 방식은 상황과 관계의 성격에 따라 달라질 수 있습니다. 중요한 것은 상대방을 존중하는 태도를 유지하며, 대화를 긍정적으로 이어갈 수 있는 방법을 찾아가는 자세가 중요합니다.

자신의 비슷한 과거 경험을 즐겁게 활용해보는 것입니다. 상황을 너무 진지하게 받아들이지 않으면서, 경쾌하게 이야기를 전환함으로써 대화의 분위기를 밝게 유지할 수 있습니다. 특히 부부 사이의 대화에서 중요할 수 있는데, 일상의 단조로움이나 긴장을 줄이고 서로를 더 가깝게 만들어 줄 수 있기 때문입니다. 다음은 이러한 상황에서 사용할 수 있는 재미있는 예시입니다.

예시 1)

부부가 집안일 분담에 대해 이야기하는 상황으로 예시를 들어보겠습니다.

아내: 여보! 나 지금 설거지해야 되니까 세탁기 좀 돌려 줄래요?

남편: "알겠어, 알겠어. 내가 세탁기를 다루는 법을 배워야 할 때가 왔나 봐. 그런데, 혹시 세탁기 사용법에 '게임 모드'는 없나?"

아내: ('어휴! 내가 하고 말지'라 고 생각하다가 잠시 진정하고, 유머 모드로 전환하기)

"물론이지, 게임 모드가 있어. 그 모드에서는 더러운 옷을 넣으면 깨끗한 옷과 보너스 포인트가 나와. 포인트가 충분하면 다음 레벨로 넘어가서 건조도 해줘야 해!"

예시 2)

부부가 저녁 메뉴를 결정하려고 하는 상황입니다.

아내: "오늘 저녁 뭐 먹지?" 아…그런데 오늘은 내가 너무 피곤해서 당신이 볶음밥 해주면 안 될까?

남편: "음, 내가 요리를 한다면 옵션이 두 가지야. 첫 번째는 불에 탄 것, 두 번째는 맛없는 것. 당신은 둘 중 어떤 걸로 먹고 싶어?"

아내: 둘 다 상관없어. 물에 빠진 볶음밥만 아니면 난 지금 뭐든 먹을 수 있어!

예시 3)

 부부가 장을 보러 가야 하는데, 늘 그렇듯 남편이 귀찮아 하고 있습니다.

안내: 여보! 이번에 세일도 많이 하고 주말이니까 가까운 마트로 장보러 가요!

남편: "나 피곤한데 장 보러 가야 해? 난 마치 집에서 멀리 떨어진 사파

리로 떠나는 기분이야."

아내: "그렇구나. 그럼 나는 당신의 가이드가 될 거야. 야생의 할인 코너와 정글 같은 채소 섹션을 헤치고 나가야 해. 준비됐어, 탐험가님? 사파리로 떠나 볼까요?

조금 과장되기는 했지만 이렇게 유머는 부부 사이에 재미를 더하고, 일상적인 대화에 활력을 불어넣어 줄 수 있습니다. 자조적인 유머는 상대방을 비판하거나 상처주지 않으면서 긍정적인 분위기를 만드는 좋은 방법입니다.

상황을 유쾌하게 넘기는 것도 괜찮습니다. 상대방의 농담에 웃음이 터지지 않았다면,

"우리 오늘 웃음 절약 모드인가 봐!" 또는 "오늘은 내 웃음 스위치가 고장 난 것 같아"와 같이 상황을 유쾌하게 넘기는 말을 해볼 수 있습니다.

재미없는 개그라 하더라도 상황극으로 반응해보는 것도 좋습니다.

상대방이 농담을 했을 때 진지한 표정으로 장난스럽게 대응하는 상황극은 분위기를 가볍게 만들고, 심지어 농담이 잘 먹히지 않았을 때도

서로를 더 편안하게 해줄 수 있습니다.

말하는 사람은 웃기다고 생각하고 진지하게 얘기를 하는데 듣는 나는 전혀 웃기지 않습니다. 그럴 때는" 지금 여기 부분에서 웃으면 되는 거야? 아니면 좀 더 있다가 웃어야 해? 언제 웃을지 말해줘"라 고 물으며 장난스럽게 대응할 수 있습니다.

다음은 그러한 상황을 위한 예시입니다.

예시)

아내: 여보! 출출한데 뭐 좀 만들어 줄래요?

남편: "알았어, 오늘 밤은 내가 특별히 당신을 위해 요리를 해 줄게. 세계 최고의 요리사가 만든, 환상적인... 라면을!"

아내:(진지하게 무표정을 지으며) "잠깐, 이 부분에서 웃어야 해? 아니면 당신이 라면 봉지를 뜯는 순간까지 기다려야 하나? 정확한 웃음 타이밍을 알려줘."

남편: "그렇군, 당신이 웃을 타이밍은 바로... 지금이야! 라면 봉지의 '찢어지는' 소리가 첫 번째 신호야.

남편에게 라면 한번 얻어먹기 참 힘드네요. 그래도 한번 웃고 남편도 웃었으니 즐거운 시간이 되었습니다.

이러한 장난스러운 반응은 농담을 한 사람이 재치 있게 응수하면서 상황을 더 즐겁게 만들 수 있습니다. 또한, 이런 종류의 유머는 서로를 더 잘 이해하고 즐거운 시간을 보내는 데 도움이 됩니다. 상대방의 농담에 이런 식으로 반응하면, 일상의 소소한 순간들이 더 특별하고 기억에 남는 순간들로 변할 수 있습니다.

이런 반응은 상황을 가볍게 만들고, 농담이 잘 전달되지 않았다 하더라도 어색함을 줄여줍니다.

유머를 활용한 대응은 상황을 긍정적으로 이끌고 대화의 흐름을 부드럽게 유지하는 데 도움이 됩니다. 하지만 상대방의 감정을 존중하고, 서로의 유머 감각이 잘 맞는지 고려하는 것이 중요합니다.

부부 간의 대화에서 유머를 사용하는 것은 분위기를 밝게 하고, 서로의 스트레스를 완화시킬 수 있는 좋은 방법이라고 했지만 배우자가 말이 너무 없어서 유머가 안 통하거나 무뚝뚝할 때는 사용할 수 있는 방법을 알아보도록 하겠습니다.

상대방의 특성을 재치 있게 칭찬해주면 좋습니다.

만약 배우자가 분리수거를 마치고 왔다 거나, 힘든 일을 잘 해낸 후

"당신은 정말 우리 집의 슈퍼히어로야. 오늘도 세계를 구하는 건 성공했나봐? 아니면 적어도 내 세계는 구했어!"

이런 가볍지만 힘이 나는 유머는 상대방의 노력이나 성취를 재미있고 사랑스럽게 칭찬해주는 방법입니다. 내가 하는 일이 도움이 되었다는 걸 상대가 알아주기 때문에 보람도 느끼게 해줍니다.

주의할 점은 유머를 사용할 때는 항상 상대방의 감정과 반응을 고려하는 것이 중요합니다. 서로에 대한 이해와 존중이 바탕이 되어야 하며, 상대방을 불편하게 하거나 상처 주는 유머는 피해야 합니다. 서로의 기분이 상하지 않게 유머 감각을 적절히 활용하고, 긍정적이고 즐거운 대화를 이끌어 가는 것이 중요합니다.

그런데 대화를 하려고 해도 무뚝뚝하거나 개그가 전혀 통하지 않는 경우가 있습니다.

그런 경우에는 어떻게 감정을 다스리고 대처하면 좋을까요?

그런 사람에게는 개인적 공간과 시간을 존중해줄 필요가 있습니다. 특히 일상에서는 배우자나 자녀가 그런 경우가 많을 수 있습니다. 말수가 적은 사람들은 종종 혼자만의 시간과 개인적 공간을 중요시합니다. 강요하기보다는 배우자가 자신을 표현할 준비가 될 때까지 기다리는

것이 중요합니다. 상대가 말하기 시작하면, 그때에는 의견을 경청하고 진정으로 관심을 보여주는 행동을 통해 대화를 이어가는 것이 좋습니다. 해당 내용에 구체적인 예시와 설명을 추가해 보겠습니다:

예를 들어, 배우자가 퇴근 후 말없이 소파에 앉아 책을 읽고 있다고 상상해보세요. 이럴 때, 배우자가 조용히 시간을 보내고 싶어하는 신호로 해석할 수 있습니다. 이때 강요하여 대화를 시도하기보다는, 조용히 옆에 앉거나 다른 방에서 자신의 일을 하는 등 우선 그들의 개인적 시간과 공간을 존중하는 것이 중요합니다. 시간이 조금 흐른 뒤, 배우자가 책에서 눈을 떼고 당신에게 그 날의 일이나 책의 내용에 대해 이야기하기 시작한다면, 이 시점이 대화할 준비가 되었다는 신호입니다. 이때 배우자의 이야기에 귀 기울이고, 관심 있는 질문을 하거나 의견을 나누어 가며 관심을 보여주는 것이 좋습니다. 이러한 접근 방식은 대화를 강요하지 않으면서도 상대방이 편안하게 자신의 생각과 감정을 나눌 수 있는 자연스러운 환경을 만들어 줍니다."

또는 배우자가 말없이 텔레비전에 집중하고 있는 상황이라면, 배우자가 지금은 프로그램에 몰입하고 있는 것을 의식적으로 인식하고 그 순간을 방해하지 않는 것이 중요합니다. 대신, 광고 시간이나 프로그램이 끝나는 시점을 기다려 상대방이 대화를 좀 더 편하게 받아들일 수 있는 시간을 선택하는 것이 좋습니다. 이때, '와, 이 드라마 재미있어 보이는데, 두사람은 앞으로 어떻게 될 것 같아?'와 같이 배우자가 관심을 보였던 주제에 대해 가벼운 질문을 통해 대화의 문을 열 수 있습니다.

저녁 식사 중에도 상황은 비슷합니다. 음식을 먹으며 조용히 시간을 보내고 싶어하는 배우자의 기분을 존중해야 합니다. 식사가 거의 끝나갈 무렵이나 편안한 분위기에서, '오늘 저녁 어땠어? 나는 이 요리가 정말 맛있었어.'와 같은 경쾌하고 긍정적인 질문을 통해 자연스럽게 대화를 시작할 수 있습니다. 이런 상황은 상대방이 한가지에 집중하고 싶을 때 귀찮게 하지 않고 말을 하고 싶을 때 그들 스스로 주제를 선택할 수 있게 해줍니다.

무엇보다 중요한 것은, 상대방이 대화에 참여할 준비가 되었을 때 그들의 말에 진심으로 귀 기울이고 반응하는 것입니다. 이렇게 함으로써 대화를 하는 것이 서로에게 기분 좋은 시간이 되고 상대방이 자신의 생각과 감정을 공유하는 것에 편안함을 느끼게 할 수 있습니다.

그리고 말이 적은 사람들은 종종 비언어적인 방식으로 사랑과 애정을 표현합니다. "꼭 그걸 말로 해야 합니까? 말로 안 해도 눈치로 알아야지." 라 고 말하는 경우에 해당됩니다. 배우자의 행동, 몸짓, 표정을 주의 깊게 관찰하면 상대방의 감정과 생각을 읽을 수도 있습니다. 어떤 경우에는 말보다 그러한 비언언적인 표현이 더 강력한 메시지를 남길 수도 있습니다.

의외로 무뚝뚝한 성격의 사람은 본인의 관심사에 대한 이야기를 하면 말이 더 많아지는 경우도 있습니다. 본인의 관심사가 아닌 일상적인 피곤한 이야기를 하거나 의미 없는 이야기라고 생각하고 말이 없는 경우가 있으니 공통의 취미나 관심사를 공유하는 것은 대화를 시작하고 관계를 강화하는 좋은 방법입니다. 같이 즐길 수 있는 활동을 찾아서 함께 시간을 보내는 것도 좋은 방법이니 관심사에 대한 대화를 나눠보는 것도 도움이 됩니다.

꼭 뭔가를 해야 한다는 부담을 가질 필요는 없습니다. 의도를 갖고 대화를 시도하기보다는, 상대가 관심을 가질 만한 주제를 물어보고 일상적인 수다를 떨듯이 소소한 이야기로 시작하는 것이 좋습니다. 간단한 일상의 대화는 서로에게 대화의 부담을 줄여줍니다.

나랑은 대화를 잘 안 하는데 밖에서는 달변가인 배우자, 이유가 있을 수 있습니다.

배우자나 자녀가 나 아닌 다른 사람과는 대화를 잘하는데 나와는 대화를 잘하지 않으려고 할 때가 있을 것입니다. 그리고 뭘 물어봐도 꿀 먹은 벙어리처럼 대답을 잘 안 하는 답답한 상황은 왜 생기는 걸까요? 그 이유는 여러 가지가 있을 수 있습니다. 이런 상황을 이해하기 위해서는 다음과 같은 가능한 이유들을 고려해 볼 수 있습니다.

친밀감에 따른 압박일 수 있습니다.

때로는 가장 가까운 관계일수록 더 많은 감정적 압박을 느낄 수 있습니다. 배우자는 당신과의 관계에서 더 많은 것이 걸려 있다고 느낄 수 있어, 말을 조심하게 되고 자연스럽게 대화하기 어려울 수 있습니다.

"친밀감의 압박"이라는 개념은 가까운 인간 관계에서 흔히 발생하는 현상입니다. 특히 가장 친밀한 관계에서, 예를 들어 배우자나 가까운 친구 사이에서, 우리는 상대방에 대한 기대치가 높기 때문에 더 많은 감정적 압박을 느낄 수 있습니다. 이러한 압박감은 대화와 행동에 자연스러움을 잃게 하고, 때로는 관계에서의 진정성을 해치는 원인이 될 수 있습니다.

부부를 예를 들어, 두 사람은 서로를 매우 사랑하지만, 결혼 생활의 기대감과 서로에 대한 높은 기대 때문에 각자의 솔직한 감정을 표현하기가 어렵습니다. 남편은 직장에서 스트레스를 받고 있지만, 아내가 걱정할까 봐 그 사실을 숨기고 아무렇지 않은 척합니다. 아내 역시 집안일과 육아에 지쳐 있지만, 남편이 자신을 약한 사람으로 보지 않을까 봐 그 감정을 표현하지 않습니다.

이러한 상황에서는 두 사람 모두 자신의 진정한 감정을 숨기고, 관계에서 더 많은 것이 걸려 있다고 느끼기 때문에 매우 조심스럽게 행동합니다. 이로 인해 자연스러운 대화가 어려워지고, 결국 서로의 진짜 모습을 이해하고 공감하는 데 장애가 될 수 있습니다. 이런 감정적 압박은 시간이 지날수록 관계에 부담을 주고, 때로는 심리적 거리감을 만들어 낼 수도 있습니다.

이를 해결하기 위한 방법 중 하나는 솔직하고 개방적인 의사소통을 촉진하는 것입니다. 예를 들어, 정기적으로 서로의 감정을 나누는 시간을 갖거나, 감정적인 안전을 느낄 수 있는 환경을 조성하는 것이 도움이 될 수 있습니다. 이런 식으로, 친밀감의 압박을 경감시키고 더 건강하고 지속 가능한 관계를 유지할 수 있습니다.

서로에 대한 기대치 때문일 수 있습니다.

배우자는 당신에게 더 높은 기대를 가질 수 있고, 그로 인해 당신과의 대화에서 더 큰 압박을 느낄 수 있습니다. 그들은 당신을 실망시키고 싶지 않아서 더 조심스러울 수 있습니다.

서로에 대한 높은 기대치는 친밀한 관계에서 종종 겪게 되는 중압감의 한 형태입니다. 특히 배우자나 가까운 파트너 사이에서 이러한 기대는 상대방을 실망시키고 싶지 않다는 부담감으로 이어질 수 있습니다. 이런 압박은 소통의 방식을 조심스럽게 만들고, 때로는 진실된 감정이나 의견을 표현하는 것을 어렵게 할 수 있습니다.

예를 들어, 아내는 최근에 새로운 직장을 얻었고, 남편은 그녀가 경력에서 큰 성공을 거두기를 기대하고 있습니다. 남편의 이러한 높은 기대는 아내에게 긍정적인 동기를 부여할 수도 있지만, 동시에 큰 압박감으로 작용할 수도 있습니다. 아내가 어려운 일을 겪고 있음에도 불구하고, 남편을 실망시키고 싶지 않아서 그녀는 자신의 진짜 어려움을 털어놓지 않습니다.

이 상황에서 아내는 남편에게 자신이 느끼는 스트레스나 고민을 솔직하게 표현하기보다는, 남편의 기대에 부응하기 위해 자신의 감정을 숨기게 됩니다. 그 결과, 남편은 아내가 직장 생활을 잘 하고 있다고만 생각할 수 있고, 아내의 진정한 상황에 대해 알지 못하게 됩니다. 이런 불통은 관계의 진정성을 해치고, 결국 양쪽 모두에게 불필요한 감정적 부담을 초래할 수 있습니다.

이런 문제를 해결하기 위해서는 각자의 기대를 명확히 하고, 서로의 진정한 감정과 어려움을 털어놓을 수 있는 안전한 공간을 마련하는 것이 중요합니다. 예를 들어, 정기적으로 '감정 체크' 시간을 갖는 것은 서로의 기대와 현실 사이의 간극을 좁히고, 더 건강한 관계를 유지하는 데 도움이 될 수 있습니다. 이러한 방법으로, 배우자는 상대방에 대한 무리한 기대를 조절하고, 서로의 부담을 줄일 수 있습니다.

부모와 자녀 간의 관계에서도 높은 기대치는 감정적 압박과 부담감을 초래할 수 있습니다. 부모는 종종 자녀가 학업, 스포츠, 음악 등 다양한 분야에서 우수한 성과를 내기를 기대하며, 이러한 기대는 자녀가 자신의 감정을 자유롭게 표현하는 것을 어렵게 만들 수 있습니다.

예를 들어, 한 부모가 자신의 아들이 학교 성적이 우수하고 다재 다능한 학생이 되기를 바라고 있습니다. 아들은 부모의 이러한 높은 기대를 알고 있으며, 그 기대에 부응하려고 노력합니다. 하지만 실제로는 수학과 과학 과목에서 어려움을 겪고 있습니다. 아들은 부모를 실망시키고 싶지 않아서 학교에서 겪는 어려움에 대해 말하지 않습니다. 대신, 자신이 잘하고 있음을 보여주기 위해 더 많은 시간을 공부에 투자하며 스트레스와 불안감을 느낍니다.

이 상황에서 아들은 부모의 높은 기대로 인해 진정한 어려움이나 감정을 표현하는 데 주저하게 됩니다. 그 결과, 부모는 아들이 겪고 있는 진짜 문제에 대해 모르게 되고, 아들은 점점 더 큰 압박을 느낄 수 있습니다. 이것은 감정적 건강뿐만 아니라 학업 성과에도 부정적인 영향을 미칠 수 있습니다.

이 문제를 해결하기 위해서는 부모가 자녀에게 정기적으로 솔직한 대화의 기회를 제공하고, 자녀가 자신의 실패나 어려움에 대해 안심하고 이야기할 수 있는 분위기를 조성하는 것이 중요합니다. 예를 들어, 부모가 '성공'의 정의를 넓히고, 학업 성적 이외의 다른 장점이나 관심사를 인정하는 것이 자녀의 자존감을 보호하고, 보다 건강한 부모-자녀 관계를 구축하는 데 도움이 될 수 있습니다. 이러한 접근은 자녀가 스트레스를 줄이고, 자신의 진정한 감정과 어려움을 부모와 공유할 수 있는 환경을 마련해줍니다.

감정적으로 취약한 것일 수 있습니다.

감정적 취약성을 좀 더 쉽게 표현하면 "감정이 상처받기 쉬운 상태"라고 할 수 있습니다. 이는 사람이 자신의 감정이나 약한 면을 다른 사람에게 보여주는 것을 두려워하거나, 그러한 감정을 다루는 것이 어렵다고 느낄 때 사용할 수 있는 표현입니다. 간단히 말해, 마음이 아플 수 있는 상황이나 기분이 상하기 쉬운 상태를 말합니다.

배우자가 당신과 대화할 때 자신의 감정적 취약성을 더 많이 느낄 수 있습니다. 이로 인해 상대방은 자신을 보호하기 위해 말을 아끼거나 대화를 피할 수 있습니다.

감정적 취약성은 특히 가까운 관계에서 중요한 역할을 합니다. 친밀한 관계에서는 사람들이 자신의 깊은 감정과 취약한 면을 드러내는 경우가 많기 때문에, 이는 배우자나 파트너와의 대화에서 감정적 보호 본능을 유발할 수 있습니다. 감정적으로 취약한 상태가 되면, 사람들은 자신을 방어하기 위해 감정을 숨기거나 대화를 피하는 경향이 있습니다.

예를 들어, 한 여성이 최근 업무 스트레스로 인해 정신적으로 매우 힘든 시간을 보내고 있습니다. 이 문제를 배우자에게 털어놓고 싶지만, 동시에 자신의 취약한 면을 보여주는 것에 대해 두려워합니다. 그녀는 배우자가 자신을 약하다고 생각할까 봐 걱정되고, 그로 인해 정신적 문제에 대해 말하기를 주저합니다.

이 상황에서 여성은 자신의 정신 건강 문제를 숨기고, 대신에 피로하다 거나 바쁘다는 핑계로 대화를 피할 수 있습니다. 배우자는 그녀가 겉으로는 괜찮아 보이는 것처럼 느낄 수 있지만, 실제로는 아내는 매일 감정적으로 고통받고 있을 것입니다. 이런 불통은 결국 두 사람 사이의 감정적 거리를 더욱 멀어지게 만들 수 있습니다.

이러한 문제를 해결하기 위해서는 감정적으로 안전한 환경을 조성하여 서로의 취약성을 공유할 수 있는 기회를 마련하는 것이 중요합니다. 예를 들어, 배우자들이 서로의 감정과 경험을 자유롭게 공유할 수 있는 시간을 정해 놓고, 비판이나 판단 없이 서로의 이야기를 경청하는 것이 중요합니다. 이러한 신뢰의 분위기 속에서 각자는 자신의 취약한 부분을 숨기지 않고 표현함으로써, 서로를 깊이 이해하게 되는 계기가 됩니다.

부모와 자녀 사이에서도 감정적 취약성은 중요한 역할을 합니다. 특히 부모는 자신의 취약성을 자녀에게 보여주는 것을 꺼릴 수 있으며, 이는 자녀와의 솔직한 대화를 방해할 수 있습니다. 부모가 감정적 취약성을 느끼고 이를 숨기려고 하면, 자녀는 부모의 진정한 감정을 이해하거나 그것에 대해 배울 기회를 잃게 될 수 있습니다.

예를 들어, 한 아버지가 직장에서 해고당하는 어려움을 겪고 있습니다. 가족에게 경제적인 불안정이나 스트레스를 주고 싶지 않아서 자신의 문제를 자녀에게 말하지 않습니다. 아버지는 자신이 강하고 안정적인 모습을 보여야 한다고 느끼며, 이로 인해 자녀와의 대화에서 자신의 직업 상실에 대한 두려움이나 스트레스에 대해 언급하지 않습니다.

이 상황에서 아버지는 자신의 감정이 상처받는 것을 숨기기 위해 대화를 피하거나 문제를 단순화해서 설명할 수도 있습니다. 자녀는 아버지가 겪고 있는 스트레스의 심각성을 모르고, 아버지는 자신의 감정을 고립시키며 혼자 받아들여야 합니다. 이런 상황은 부모와 자녀 사이의 감정적 거리를 만들고, 서로에 대한 이해와 지원의 기회를 줄일 수 있습니다.

이러한 문제를 해결하기 위해서는 부모가 자녀 앞에서도 자신의 감정적인 어려움을 솔직하게 공유할 수 있는 환경을 만들어 주는 것이 중요합니다. 부모가 자신의 약하고 부족한 면을 보여줄 때, 이는 자녀에게 신뢰와 솔직함의 가치를 가르치는 중요한 기회가 될 수 있습니다. 또한, 이런 대화는 자녀가 감정적인 문제를 다루는 방법을 배울 수 있는 좋은 기회가 되며, 부모와 자녀 사이의 감정적 유대를 강화할 수 있습니다. 이를 통해 가족 구성원 간에 서로를 이해하고 지원하는 강력한 관계가 형성될 수 있는 좋은 계기가 될 수 있습니다.

대화와 감정에 대한 통제의 문제일 수 있습니다.

배우자가 다른 사람들과는 대화를 잘 하는 것처럼 보일 수 있지만, 그것은 그들이 대화를 더 통제할 수 있고, 갈등이나 깊은 감정적 문제를 피할 수 있는 상황일 때일 수 있습니다. 반면, 당신과의 대화는 더 깊은 감정적 교류를 요구할 수 있으며, 이는 그들에게 더 어려운 일이 될 수 있습니다.

특히 친밀한 관계에서의 대화와 감정의 통제에 관한 문제가 생길 수 있습니다. 배우자가 다른 사람들과의 대화에서는 비교적 편안함을 느끼고 자유롭게 행동할 수 있지만, 가까운 파트너와의 대화에서는 더 큰 어려움을 겪을 수 있습니다. 이는 가까운 관계에서 요구되는 감정의 깊이와 진정성 때문에 발생할 수 있습니다.

예를 들어, 남편이 직장 동료들과는 쉽고 가볍게 대화를 나눌 수 있습니다. 직장에서의 대화는 주로 업무 관련 정보 교환과 가벼운 일상 대화로 이루어지기 때문에, 남편은 이러한 상황에서 대화를 잘 통제할 수 있으며, 감정적으로 깊이 들어가지 않습니다. 이런 환경에서는 갈등이 적고, 감정적으로 깊이 파고들 필요가 없기 때문에 남편은 비교적 편안하게 느낍니다.

하지만, 집에서 아내와의 대화는 다릅니다. 아내와의 대화에서는 개인적인 문제, 감정, 관계의 미래 등 더 깊은 주제가 종종 다뤄지므로, 남편은 이러한 대화를 더 어렵게 느낄 수 있습니다. 예를 들어, 아내가 남편의 시간 관리나 집안일 참여에 대해 문제를 제기할 경우, 남편은 이 문제가 자신의 책임감이나 배려심을 질문하는 것으로 받아들일 수 있으며, 이로 인해 방어적이 되거나 감정적으로 부담을 느낄 수 있습니다. 이 경우, 남편은 대화에서 통제력을 잃는 것을 두려워하고, 결과적으로 감정적인 교류를 피하려 할 수 있습니다.

이러한 문제를 해결하기 위해서는 각자가 대화 중 감정적으로 안전하다고 느낄 수 있는 환경을 조성하는 것이 중요합니다. 부부가 서로의 의견을 존중하고 경청하는 태도를 갖는 것, 감정을 솔직하게 표현하되 상대방을 공격하지 않는 방식으로 대화하는 것이 도움이 될 수 있습니다. 또한, 대화가 감정적으로 과열되었을 때 잠시 멈추고, 각자의 감정을 정리한 후 다시 대화를 이어가는 것도 한 방법입니다. 이런 접근은 대화에서의 통제를 잃지 않으면서도 서로의 감정을 이해하는 것입니다.

부모와 자녀 사이의 대화에서도 유사한 현상이 발생할 수 있습니다. 부모는 종종 자녀와의 대화에서 더 큰 감정적인 지지와 공감해주기를 기대하게 됩니다. 이것이 부모에게 감정적 부담을 주고 대화를 어렵게 만들 수 있습니다.

예를 들어, 자녀가 학교에서 친구들과의 문제를 겪고 있을 때 이를 부모에게 털어놓는 상황을 생각해볼 수 있습니다. 이때 부모는 자녀의 감정적인 지지자가 되어야 하며, 문제를 해결하는 데 도움을 주기 위해 자녀의 이야기를 잘 듣고 이해해야 합니다. 그러나 이 과정에서 부모는 자신의 감정적인 반응을 조절해야 하는 동시에, 자녀가 겪는 어려움에 대해 감정적으로 깊이 연결되어야 합니다. 부모가 이 상황을 자신이 통제할 수 없다고 느끼거나, 자녀의 문제에 대한 적절한 해결책을 제시할 수 없다고 느낀다면, 부모는 대화에서 스트레스를 받거나 감정적으로 소외될 수 있습니다.

부모가 자녀의 문제에 대해 과도하게 걱정하거나 자녀의 행동을 비판하는 방식으로 대화를 진행하면, 자녀는 부모와의 솔직한 대화를 피하려 할 수 있습니다. 이는 부모가 대화를 통제하고 싶은 욕구와 자녀가 자신의 감정을 보호하려는 욕구가 충돌하는 경우에 발생할 수 있습니다.

이러한 상황을 개선하기 위해서는 부모가 대화에서 자녀의 의견을 존중하고, 자녀가 자신의 감정과 생각을 자유롭게 표현할 수 있는 환경을 조성해야 합니다. 부모는 자녀의 이야기를 경청하고 이해하려는 자세를 보여야 하며, 필요한 경우 자녀에게 감정을 표현하는 방법을 가르치는 것도 도움이 될 수 있습니다. 또한, 부모는 자녀의 감정을 공감하면서도, 문제 해결에 있어서 자녀가 자립적인 태도를 갖도록 격려하는 것이 중요합니다. 이런 접근 방식은 감정적으로 서로 공감하고 있다는 것을 표현해주기 때문에 부모자녀 관계에 긍정적인 영향을 줄 수 있습니다.

역할의 문제일 수 있습니다.

사회적 상황에서는 각자 역할이 정해져 있고, 그에 맞는 대화가 이루어질 수 있습니다. 반면, 집에서의 역할은 더 복잡하고 다양한 감정적 교류가 요구될 수 있어 대화가 어려워질 수 있습니다.

"역할의 문제"는 사회적 상황과 가정 내 상황에서 각자가 수행해야 하는 역할과 그에 따른 대화의 차이를 다룹니다. 사회적 상황에서는 역할이 비교적 명확하고 각자의 기대치도 분명하게 설정되어 있어 대화가 비교적 단순하고 목적에 맞게 진행될 수 있습니다. 하지만 가정에서는 역할이 더 복잡하고, 감정적 교류가 더 깊고 다양하게 요구되므로 대화가 더 어려워질 수 있습니다.

역할의 문제일 경우에 대한 사회적 상황을 생각해볼 수 있습니다.

회사에서의 역할을 생각해 봅시다. 한 팀장이 팀원들과 회의를 주재할 때, 각자의 역할은 명확합니다. 팀장은 회의를 이끌고, 팀원들은 각자의 업무에 대해 보고하고 의견을 제시합니다. 이러한 상황에서 대화는 주로 업무의 진행 상황이나 프로젝트의 목표 달성에 초점을 맞추며, 감정적인 요소는 크게 드러나지 않습니다.

역할의 문제일 경우에 대한 가정 내 상황을 생각해볼 수 있습니다

집에서의 역할은 훨씬 더 복잡합니다. 가정에서 부모, 배우자, 자녀 등 다양한 역할을 수행하면서, 각자의 역할에 따라 다양한 감정적 요구가 발생합니다. 예를 들어, 어느 저녁 식사 시간에 가족 간의 대화를 생각해 보겠습니다. 아버지는 가족의 경제적 지원자로서의 역할을 수행하면서도 자녀의 학업 성적에 대해 관심을 가져야 합니다. 동시에 아내와는 결혼 생활의 깊은 감정적 문제에 대해 이야기해야 할 수도 있습니다.

이러한 다양한 역할은 아버지에게 동시에 여러 가지 감정적 요구를 하게 되며, 이는 대화를 복잡하게 만들고 갈등을 유발할 수 있습니다.

이러한 상황에서 각각의 역할에 따른 기대와 요구 사항이 서로 충돌하거나 균형을 이루기 어렵다면, 대화는 더욱 어려워질 수 있습니다. 감정적으로 충전된 문제들이 대화의 흐름을 방해하고, 가족 구성원들 간의 오해나 갈등으로 이어질 수 있습니다.

이러한 상황을 이해하고 개선하기 위해서는 솔직한 대화가 필요할 수 있습니다. 배우자와의 대화에서 겪고 있는 어려움을 공유하고, 배우자의 솔직한 마음을 듣는 것이 중요합니다. 서로의 필요와 기대에 대해 이야기하고, 대화의 어려움을 함께 해결하기 위한 방법을 찾아가 보세요.

필요하다면, 이러한 문제를 해결하기 위해 부부 상담과 같은 전문가의 도움을 받는 것도 항상 염두해줄 필요가 있습니다.

[3-4. 다양한 문화 속 경청 방식의 차이 알기]

경청은 원활한 의사소통의 핵심 요소입니다. 하지만 우리가 속한 문화권에 따라 경청의 방식이 다를 수 있습니다. 특히 부부 사이에서 이 점을 인식하는 것이 중요합니다.

예를 들어, 어떤 문화권에서는 상대방의 말에 자주 끼어들거나 상황에 대한 반응을 즉각적으로 보이는 것이 경청의 표시로 여겨집니다. 하지만 다른 문화에서는 오히려 이것이 상대방의 발언을 방해한다고 생각할 수 있습니다.

또한 연령대에 따라서도 경청 방식이 달라질 수 있습니다. 젊은 세대는 좀 더 개인주의 적이고 적극적인 반면, 나이 든 세대는 경청할 때 겸손하고 조용한 태도를 취하는 경향이 있습니다.

부부 사이에서도 이러한 차이가 있을 수 있습니다. 예를 들어 한 집안에서는 상대방의 이야기에 자주 끼어들어 반응을 보이는 것이 일상적이지만, 다른 집안에서는 이것이 무례하다고 여길 수 있습니다.

따라서 부부가 서로의 문화적 배경과 습관을 이해하고 존중하는 자세가 필요합니다. 열린 마음으로 상대방의 경청 방식을 받아들이고, 때로는 서로의 방식을 적절히 조율할 필요가 있습니다.

예를 들어 말하는 이의 말을 끊지 않고 끝까지 경청한 후에 반응을 보이기로 합의할 수 있습니다. 혹은 서로의 문화적 차이를 인정하고, 상대방의 경청 방식을 존중하면서도 자신의 요구사항을 겸손히 말할 수 있습니다.

이처럼 부부가 상호 이해의 자세로 열린 대화를 나누며 서로의 경청 방식을 조율해간다면, 더욱 원활하고 배려 있는 의사소통이 가능해질 것입니다. 문화적 차이를 오해 대신 서로를 이해하려는 노력으로 발전시켜 나갈 때 비로소 진정한 소통이 이루어질 수 있습니다.

문화적 차이에 따른 경청 방식의 예시를 들어 설명해드리겠습니다.

한국인 남편 00와 미국인 아내 000 부부의 경우를 생각해봅시다.

남편은 아내가 이야기할 때 자주 고개를 끄덕이거나 "응, 그래 그래" 같은 반응을 보이며 경청합니다. 이는 한국 문화에서 상대방의 말에 공감하고 있다는 반응으로 여겨지기 때문입니다.

하지만 미국인 아내는 이러한 남편의 태도가 오히려 자신의 발언을 방해한다고 여깁니다. 미국 문화에서는 상대방이 이야기할 때 끼어들지 않고 끝까지 경청하는 것이 예의 바른 태도로 여겨지기 때문입니다.

이에 남편은 아내의 문화적 배경을 이해하고 그녀의 이야기를 끝까지 주의 깊게 듣기로 합니다. 동시에 아내 또한 남편의 반응이 경청의 표시라는 점을 인정합니다.

이렇게 서로의 문화적 차이를 존중하면서도 상호 조율을 거치면서, 두 사람은 점차 원활한 의사소통 방식을 만들어 갈 수 있었습니다.

또 다른 예시로, 한국계 미국인 부부 00와 00이 있습니다. 이들 부부는 의사소통 할 때 세대 차이로 인한 경청 방식의 차이도 경험합니다.

아내는 젊은 세대로서 남편의 말에 자주 중간에 끼어들어 자신의 의견을 내놓는 편입니다. 하지만 기성세대인 남편은 이를 예의 없는 행동이라고 여깁니다.

이에 두 사람은 서로의 입장 차이를 이해하고자 노력합니다. 남편은 아내의 적극적인 반응이 관심과 경청의 표시라는 점을 인정하고, 안내는 기성세대의 방식을 존중하기로 합니다.

이렇게 상호 조율을 거치면서 아내는 말끝을 기다렸다가 반응하기로 하고, 남편은 중간에 아내의 반응을 허용하기로 하는 등 서로를 존중하는 경청 방식을 만들어갑니다.

이처럼 문화와 세대에 따른 경청 방식의 차이를 인정하고 열린 자세로 상호 이해의 노력을 기울인다면, 부부 간 원활한 소통이 가능해집니다.

"사람들은 종종 듣기를 원하지만,
이해 받기를 갈망한다."
- 스티븐 R. 코비-

제4장
경청의 네 번째 기술:
마음속 대화 알아채기

"진정한 경청은 마음을 열고, 판단을 내리지 않으며, 감정을 표현하는 것입니다."

- 마샬 B. 로젠버그 -

우리는 누군가의 이야기를 듣고 있을 때, 머릿속으로 수많은 생각들을 하게 됩니다. 상대방의 말을 곧이곧대로 받아들이기보다는 자신만의 렌즈를 통해 해석하고 판단하는 것이 인지상정입니다. 이렇게 내면에서 일어나는 생각의 흐름을 '마음속 대화'라 고 부릅니다.

마음속 대화 중에는 상대방의 이야기에 대한 평가와 분석, 개인적인 연상 작용과 추측, 심지어는 선입견과 고정관념에 기인한 편견까지도 작용합니다. 하지만 우리는 이러한 마음속 대화를 인식하지 못한 채 상대방과 대화를 이어가는 경우가 많습니다.

그 결과 오해와 갈등이 생기기 쉽습니다. 상대방의 본래 의도와는 전혀 다른 방향으로 상황을 해석하고 부적절한 반응을 내보이게 되는 것이지요. 따라서 마음속 대화를 알아차리고 조절하는 능력이 필수적입니다.

열린 마음으로 상대방의 말을 있는 그대로 받아들이고, 자신의 선입견과 가정에서 벗어나 경청할 수 있어야 합니다. 이를 통해 진정한 소통과 상호 이해가 가능해집니다. 이번 장에서는 마음속 대화를 인식하고 다스리는 구체적인 방법에 대해 알아보겠습니다.

4-1. 잘 듣는 사람의 심리: 인내, 집중, 이해

상대방이 이야기를 할 때 타인의 이야기를 잘 들어주는 사람이 어떻게 이해하고 반응하는지 확인 해 보겠습니다.

•상대방의 감정 이해하기
☐ 대화에 적극적으로 참여하기
☐ 인내심을 갖고 중단 없이 듣기
☐ 비판 없는 경청하고 판단 유보하기
☐ 몸짓과 표정에서 나타나는 비언어적 신호 이해하기

우리 주변에는 특별한 사람들이 있습니다. 그들은 타인의 말에 귀 기울이고, 진심으로 경청할 줄 아는 이들입니다. 이들을 '공감의 달인'이라 부르고 싶습니다.

공감의 달인들은 상대방의 이야기에 집중합니다. 눈을 맞추고, 고개를 끄덕이며, 말 한마디 한마디에 주의를 기울입니다. 하지만 그들의 능력은 여기서 그치지 않습니다. 공감의 달인들은 상대방의 이야기 너머에 있는 감정까지 꿰뚫어 봅니다. 그들의 마음속 고뇌와 기쁨을 고스란히 받아들이는 것이지요.

이렇게 상대방의 말과 감정을 모두 포용하는 공감 능력 앞에서, 우리는 안도와 평안을 얻게 됩니다. 마음속 갈등을 숨기지 않고 모두 토해낼 수 있다는 확신이 생기기 때문입니다. 그리고 우리의 이야기에 공감의 달인이 고개를 끄덕이면, 우리도 위로를 받습니다. 이해 받고 있다는 느낌이 드는 것이지요.

공감의 달인들은 결코 판단하거나 가르치려 하지 않습니다. 상대방의 입장이 되어 생각하고, 그들의 관점을 존중합니다. 그리고 이를 통해 서로의 시야를 넓혀가며 진정한 연결을 이룹니다.

우리 모두는 살아가며 크고 작은 아픔을 겪습니다. 그때마다 공감의 달인들이 있어 큰 힘이 됩니다. 그들의 포근한 품에서 우리는 쉼을 얻고, 새 힘을 기르며 다시 길을 떠날 수 있습니다. 공감이란 이렇게 소중한 것입니다. 상대방의 마음을 있는 그대로 보듬고, 그들의 삶에 긍정의 힘을 불어넣어 주는 능력 말입니다.

인간관계에서 가장 중요한 것이 무엇일까요? 바로 상대방을 이해하고자 하는 자세일 것입니다. 이 세상에 공감의 달인들이 함께하는 한, 우리는 더 행복해질 수 있습니다.

예시1)
저녁 식사를 마치고 거실로 자리를 옮긴 부부. 오늘 있었던 일을 되새기며 아내가 입을 열었습니다.
피로한 듯한 목소리에도 자부심이 묻어났습니다.

"오늘 회의 때 정말 힘들었어. 하지만 내 의견도 제대로 내놓고 인정받았지 뭐야."

남편은 애써 집중하며 아내의 눈을 맞췄습니다. 고개를 조금씩 끄덕이며 그의 이야기에 귀 기울였습니다.

" 그랬구나. 네가 많이 힘들었을 거라 상상이 간다."
"그때 상황이 너무 어려웠겠다."

아내는 숨을 깊게 내쉬며 특히 힘들었던 순간을 말했습니다. 남편은 그때의 심정이 어땠을지, 아내의 입장에서 생각해보았습니다.

"그런 상황에서 네가 어떤 기분이었을지 이해가 조금은 간다."

아내의 이야기가 끝났을 때, 그녀의 눈가에는 겹겹이 쌓였던 하루의 피로가 사라진 것 같았습니다. 대신 작은 미소가 그려졌습니다.

"고마워, 이렇게 잘 들어줘서..."

아내에게 위안이 되었던 것은 남편이 보여준 진심 어린 경청과 공감 때문이었습니다. 남편 또한 아내의 일상을 더 깊이 이해하게 되었습니다.

열린 마음으로 상대방의 말에 귀 기울이는 일. 이는 단순히 대화를 나누는 것 이상의 의미가 있습니다. 서로의 마음을 있는 그대로 나누고 이해하며, 관계를 더욱 돈독하게 만드는 소중한 순간이 되는 것입니다.

대화가 끝난 후, 부인은 자신의 이야기에 진심으로 귀 기울여 준 남편에게 감사함을 느낍니다. 남편 또한 부인의 이야기를 들음으로써 그녀의 일상과 감정에 더 깊이 공감할 수 있게 되었습니다.

이처럼, 열린 마음으로 상대방의 이야기를 경청하는 것은 서로에 대한 이해와 공감을 높이고, 더 깊은 관계를 형성하는 데 중요한 역할을 합니다. 이런 방식으로 대화하는 부부는 서로의 감정적 지지를 받으며, 일상의 소통을 통해 관계를 더욱 깊고 의미 있게 만들어갑니다.

일상에서 감성을 기르고 정신 건강에 도움이 될 만한 활동을 3가지 소개해드리겠습니다.

◆명상과 요가

스트레스 감소와 마음의 평온을 찾는 데 도움이 됩니다. 깊은 호흡과 명상은 마음을 집중시키고 현재 순간에 머무를 수 있도록 합니다

◆자연 속에서 시간 보내기

자연과의 교감은 마음을 진정시키고 감성을 풍부하게 합니다. 산책이나 하이킹을 통해 자연의 아름다움을 체험해 보세요.

◆일기 쓰기

감정과 생각을 종이에 풀어내면 마음의 짐을 덜 수 있으며, 자기 자신을 더 깊이 이해하는 데 도움이 됩니다.

깊이 있는 대화를 나누고 상대방의 말에 진정 경청할 수 있는 이들에게는 특별한 심리적 요인들이 있습니다. 그들은 인내와 집중력을 갖추었을 뿐 아니라, 상대방을 이해하고자 하는 열린 자세를 지니고 있습니다.

무엇보다 중요한 것은 바로 공감 능력입니다. 공감은 타인의 감정과 관점을 있는 그대로 이해하고 받아들이는 능력을 말합니다. 상대방의 이야기에 귀 기울이고 그들의 경험에 몰입하며, 마치 자신의 감정인 것처럼 느끼게 되는 것이지요.

공감 능력이 높은 이들은 단순히 말의 의미를 넘어, 상대방의 몸짓, 표정, 음성의 톤까지 꼼꼼히 포착합니다. 이를 통해 상대방의 진정한 내면을 이해하고자 합니다. 높은 정서지능을 바탕으로 자신과 타인의 감정을 잘 인식하고 관리할 수 있기 때문입니다.

공감은 상대방과 유대감을 형성하고 상호 신뢰를 쌓아가는 데 큰 역할을 합니다. 상대방의 입장에서 생각해보고 그들의 감정을 이해하려 노력할 때, 보다 합리적이고 지혜로운 해결책을 찾을 수 있습니다.

이러한 공감 능력은 개인의 노력에 따라 기를 수 있습니다. 다양한 이들과 상호작용하며 경험을 쌓고, 열린 마음자세로 그들의 삶을 들여다보려 애쓸 때 우리 모두는 공감력을 키워 나갈 수 있습니다.

또한 잘 듣는 이들에게는 자아에 대한 건전한 인식과 안정성이 뒷받침

되어 있습니다. 그들은 자신의 가치와 신념을 확고히 인지하고 있기에, 남의 시선에 쉽게 동요되지 않습니다. 오히려 다양한 의견을 수용하고 성장의 계기로 삼습니다.

강한 자아의식은 자신감과 자기수용으로 이어집니다. 스스로를 있는 그대로 인정하고 받아들일 줄 알기에, 타인의 말에 열린 자세로 임할 수 있습니다. 자신의 정체성을 의심하지 않고, 논리와 이성을 잃지 않는 것이지요.

이처럼 공감 능력과 자아에 대한 건전한 인식은 상대방의 이야기에 진심으로 집중할 수 있게 해줍니다. 그들은 인내심을 갖고 상대방의 경험을 이해하고자 노력합니다. 이를 통해 상대방과 진정한 유대감을 쌓아갈 수 있습니다. 우리 모두가 가져야 할 소중한 자질이 아닐까요?

타인의 말에 진심으로 경청하는 태도는 공감능력, 정서지능, 자아안정성 등 여러 심리적 요인들의 조합에서 비롯됩니다. 이러한 자질은 대화에서 상호 존중과 이해를 바탕으로 건강한 관계를 구축하는 데 필수적입니다.

공감능력과 정서지능을 갖춘 이들은 상대방의 입장에 서서 그들의 감정과 관점을 이해하고자 합니다. 또한 자아에 대한 건전한 인식으로 열린 마음자세를 유지할 수 있습니다. 이를 통해 보다 생산적이고 의미 있는 대인관계를 형성하고 갈등을 해결해 나갈 수 있습니다.

우리 모두가 이러한 심리적 특성을 기르고 실천한다면 상호 성장하는 공동체를 이룰 수 있을 것입니다. 타인의 말에 진정성 있게 경청하는 자세야 말로 더 나은 인간관계와 사회를 만드는 첫걸음이 될 것입니다.

요약
[잘 듣는 사람의 심리: 인내, 집중, 이해]

- 공감 능력: 타인의 감정과 관점을 이해하고 공감하는 능력
- 타인의 감정 이해: 상대방의 말을 넘어 그들의 감정 상태를 포착
- 비언어적 신호 민감성: 표정, 몸짓, 어조 등을 통해 상대방의 진심을 읽어 냄
- 자아 안정성: 자신의 가치와 신념을 확고히 인지하여 열린 자세 유지
- 자신감과 자기수용: 자신을 있는 그대로 인정하고 수용하여 타인의 말에 귀 기울임

잘 듣는 사람들은 인내와 집중력을 바탕으로 상대방을 이해하고자 하는 열린 자세를 지녔습니다. 특히 공감 능력과 정서지능, 그리고 건전한 자아의식이 중요한 심리적 요인으로 작용합니다.

공감과 정서지능을 통해 상대방의 말과 감정을 있는 그대로 이해하고자 합니다. 또한 자아에 대한 건전한 인식으로 열린 마음자세를 유지하여, 상대방의 의견을 수용하고 존중할 수 있습니다.

이러한 심리적 특성을 갖춘 이들은 상대방과 진정한 소통과 유대감을

쌓아갈 수 있으며, 보다 생산적이고 의미 있는 대화를 나눌 수 있습니다.

경쟁심이나 허영심 없이 다만 고요하고 조용한 감정의 교류만이 있는
대화는 가장 행복한 대화이다.
-올리비 웬델 홈즈 -

4-2. 경청하지 못하는 사람의 내면: 방어와 불안

대화는 말하기와 듣기의 상호 작용입니다. 하지만 많은 사람들이 본인의 의견을 표현하는 것에 치중하면서 상대방의 말을 진정으로 듣는 것을 소홀히 합니다. 이 장에서는 본인의 말만 중시하는 사람들의 심리와 타인의 말을 깊이 경청하는 사람의 심리적 배경을 알아보겠습니다.

때로는 누군가의 말을 듣는 것이 의외로 어려울 수 있습니다. 우리 내면에 자리한 몇 가지 심리적 요인들이 경청을 가로막기 때문입니다. 먼저, 주의력 분산 문제를 꼽을 수 있습니다. 대화 중에도 우리의 마음은 종종 다른 곳을 향해 있습니다. 업무나 개인적 고민에 사로잡혀 실제 상대방 이야기에 집중하지 못하는 것이지요.

또한 상대방에 대한 선입견이나 미리 내린 판단 역시 경청을 방해하는 큰 요인입니다. 대화 전부터 이미 결론을 내려버리면, 상대방의 진실한 목소리에 귀 기울이기 어려워집니다. 예를 들어 부모가 자녀에 대해 가졌던 선입견 때문에 자녀의 입장을 제대로 듣지 못하는 경우가 많습니다.

이 외에도 지나친 감정적 반응 또한 경청의 적입니다. 상대방의 말에 자신만의 감정이 앞서 개입하면, 그 말의 본질을 객관적으로 이해하기 힘들어집니다. 비판을 받았을 때 즉각적인 분노나 방어 본능만 앞서면서 그 이면의 의도나 맥락은 간과하게 되는 것이지요.

이처럼 우리 내면에 자리한 주의력 부족, 선입견, 감정적 반응들이 경청을 가로막습니다. 그렇다면 이러한 장애물을 어떻게 극복할 수 있을까요? 그 해답은 자기 자신을 들여다보고, 경계하며, 끊임없이 수련하는 과정에서 찾을 수 있습니다.

대화에 집중하기 위해서는 먼저 자신의 생각이 어디에 머물러 있는지 인식해야 합니다. 지나친 근심과 걱정에 사로잡혀 있다면, 숨을 가다듬고 현재 순간으로 마음을 되돌립니다. 상대방의 목소리에 귀 기울이는 연습을 해 나가는 것입니다.

또한 상대방에 대한 선입견을 경계해야 합니다. 우리 모두에게는 피할 수 없는 고정관념이 있습니다. 하지만 대화에 임할 때는 일단 선입견을 배제하고, 상대방이 하는 말 그 자체에 귀 기울여봅니다. 이해의 시작은 열린 자세에서 비롯됩니다.

마지막으로 감정의 소용돌이에 휩싸이지 않는 자기 통제력이 필요합니다. 상대방의 말에 반사적으로 화내거나 감정을 드러내기보다는, 일단 그 말을 온전히 듣고자 합니다. 이후에 감정을 정리하고 균형 잡힌 반응을 할 수 있습니다. 오직 경청에만 전념할 때 비로소 상대방을 깊이 있게 이해할 수 있습니다.

이렇듯 경청은 한 번에 완성되는 기술이 아닙니다. 자신의 내면을 들여다보고, 끊임없이 주의와 노력을 기울여야 합니다. 비로소 우리는 상대방의 말을 있는 그대로 받아들일 수 있게 되는 것입니다. 그리고 이를 통해 더 나은 소통과 이해의 문이 열리게 됩니다.

경청의 어려움은 단순히 주의력 결핍이나 감정적 반응에서만 비롯되지 않습니다. 때로는 자기중심성과 경쟁 의식 같은 내면의 요인들도 작용합니다.

일부 사람들에게는 세상을 자신의 관점으로만 바라보는 자기중심적 경향이 있습니다. 그들은 자신의 필요와 의견을 다른 이들보다 앞세우는 경향이 있지요. 이로 인해 타인의 말에 귀 기울이기보다는 자신의 이야기만 되풀이하곤 합니다.

이런 자기중심성은 자아에 대한 과대평가에서 비롯됩니다. 자신의 능력과 생각을 지나치게 중요하게 여기다 보니, 다른 이들의 관점은 등한시되는 것입니다. 자신의 신념과 부합하지 않는 정보는 무시하거나 외면하게 되는 '확증편향'도 작용하고 있습니다.

더불어 대화를 하나의 경쟁으로 여기는 경향도 경청을 방해합니다. 상대방을 이해하고 들으려 하기보다는 자신의 주장을 내세우고 반박하는 데 치중하는 것이지요. 대화의 목적 자체를 상호 교류가 아닌 자신의 우월성 과시로 여기기 때문입니다.

이런 태도의 이면에는 감정적 불안정성과 소통 기술의 부족도 자리하고 있습니다. 자신의 취약점을 숨기고자 하는 방어 본능이 작용하거나, 대화 상대방과 원활히 소통하는 기술이 부족했기 때문일 수 있습니다.

이처럼 자기중심성, 경쟁의식, 감정적 불안정성 등 여러 심리적 요인들이 복합적으로 작용하여 일부 사람들이 본인 말만 중시하는 태도를 보이게 됩니다.

그렇다면 이런 태도를 극복하려면 어떻게 해야 할까요?

해답은 자기반성과 타인에 대한 이해에 있습니다. 자신을 들여다보고 부족한 점을 인식하며, 동시에 타인의 입장에서 생각해보는 연습을 꾸준히 해 나가야 합니다. 내면의 벽을 낮추고 열린 자세로 대화에 임할 때, 비로소 상대방의 말에 귀 기울일 수 있게 되는 것입니다.

[경청자세 개선을 위한 추천 활동 3가지]

◆ 마음 챙김 명상을 매일 몇 분씩 실천해보기

◆ 비판적 사고 연습

◆ 감정 일기 작성

경청 능력을 기르기 위해서는 마음가짐과 태도를 점검하고 실천하는 노력이 필요합니다. 다음은 경청 자세 개선에 도움이 되는 추천 활동들입니다.

1. 마음 챙김 명상

매일 몇 분씩 마음 챙김 명상을 실천하면 현재 순간에 집중하는 힘을 기를 수 있습니다. 호흡에 주의를 기울이며 마음이 산만해질 때마다 다시 호흡으로 돌아오는 연습을 해보세요. 꾸준히 명상을 이어가면 정신적 명료함과 주의력이 향상될 것입니다.

2. 비판적 사고 연습

자신의 선입견과 가정을 점검하고, 다양한 관점에서 문제를 바라보는 연습입니다. 먼저 자신의 생각이 어디에서 비롯되었는지 따져보고, 다른 이들의 의견과 경험도 열린 자세로 탐구해봅니다. 이를 통해 보다

객관적이고 폭넓은 시각을 기를 수 있습니다.

3. 감정 일기 작성

자신의 감정을 인식하고 상황에 따른 감정 변화를 기록하는 일기를 작성해봅니다. 구체적으로 어떤 감정이 들었는지, 그 감정의 강도는 어땠는지, 어떤 반응을 보였는지를 적어가며 자신의 감정적 패턴을 파악합니다. 나아가 상황에 따른 바람직한 대응 방식을 모색해볼 수 있습니다.

이러한 활동들을 꾸준히 실천한다면 주의력과 자기 인식 능력이 높아질 것입니다. 이를 바탕으로 상대방의 말에 열린 자세로 집중하고 공감할 수 있게 되어, 보다 원활한 의사소통과 경청이 가능해질 것입니다.

실제 대화 항목을 기록한 후, 그 상황에서 더 바람직했던 반응이 무엇이었을 지 고민해 보세요. 앞으로 비슷한 상황에서는 어떻게 다르게 반응할 수 있을지 구체적인 계획을 세워보는 것도 좋습니다.

요약

[경청하지 못하는 사람의 내면: 방어와 불안]

- 주의력 분산: 다른 생각에 사로잡혀 상대방 이야기에 집중하지 못함

- 선입견과 판단: 미리 결론을 내리고 상대방 말을 제대로 듣지 않음

- 감정적 반응: 감정이 격해져 상대방 말을 객관적으로 듣지 못함

[본인 말만 중시하는 사람의 심리]

- 자기중심성: 자신의 관점과 필요만 중시하여 타인을 무시

- 경쟁적 대화 스타일: 대화를 경쟁으로 여겨 상대방 말에 귀 기울이지 않음

- 감정적 불안정성: 취약점을 감추고자 공격적/방어적 태도를 취함

- 소통 기술 결여: 효과적인 대화 기술이 부족해 상대방 의견을 무시

이러한 내면의 심리적 요인들이 복합적으로 작용하여 상대방 말에 제대로 경청하지 못하게 됩니다. 이를 극복하려면 자기반성과 타인에 대한 이해, 열린 자세가 필요합니다. 자신의 부족한 점을 인정하고 상대방의 입장에서 생각해보는 노력이 중요합니다.

4-3. 말하기와 듣기의 미묘한 심리적 균형

대화에서 말하기와 듣기의 적절한 균형을 잡는 것은 매우 중요합니다. 이 두 가지 요소가 조화를 이울어야만 비로소 진정한 상호 이해와 소통이 가능해집니다.

말하기만 주로 한다면 상대방의 입장을 고려하지 않게 되어 일방적인 대화가 될 수밖에 없습니다. 반대로 듣기만 하고 자신의 의견을 표현하지 않는다면 대화의 방향을 이끌어가기 어려워집니다.

바람직한 대화를 위해서는 상대방의 이야기에 주의 깊게 귀 기울이며 공감하는 자세가 필요합니다. 하지만 적절한 시점에 자신의 생각과 관점도 상대방에게 전달해야 합니다. 이렇게 말하기와 듣기를 균형 있게 오가며 상호작용할 때 비로소 생산적인 대화가 가능해집니다.

말하기와 듣기의 교차 속에서 서로의 입장을 존중하게 되고, 때로는 새로운 아이디어와 해결책이 탄생하기도 합니다. 상대방의 말을 주의 깊게 듣다가 자신의 의견을 개진하고, 그에 대한 상대방의 반응을 다시 경청하는 과정을 반복하는 것입니다.

이러한 상호작용을 통해 우리는 대화 상대방에 대한 이해의 깊이를 더해갈 뿐만 아니라 나 자신에 대해서도 새로운 통찰을 얻게 됩니다. 상대방의 말을 들으며 나의 관점을 반추해보기도 하고, 내 생각을 말로 정리하며 스스로를 들여다보기도 합니다.

이렇듯 대화에서 말하기와 듣기가 적절한 균형을 이룰 때, 우리는 서로를 좀 더 깊이 있게 이해하게 되고 창의적인 해결책을 모색할 수 있습니다. 상호 존중과 개방적 자세로 대화에 임한다면, 오해는 줄어들고 신뢰와 이해는 깊어질 것입니다.

말하기와 듣기의 조화로운 실천은 원활한 의사소통과 행복한 인간관계를 위한 초석이 됩니다. 한쪽으로 치우치지 않고 적절히 주고받는 대화야 말로 서로의 지혜를 이어가는 가장 좋은 방법이 될 것입니다.

4-4. 경청에 최적화된 마음가짐 만들기

경청을 잘하기 위해서는 무엇보다 바른 마음가짐이 필요합니다. 상대방의 이야기에 귀 기울이려면 열린 자세와 존중하는 태도가 요구되기 때문입니다.

먼저 개방적인 자세를 갖추는 것이 중요합니다. 나의 생각만 고집하지 말고, 상대방의 관점도 받아들일 수 있는 여유가 있어야 합니다. 내 의견이 상대방과 다르다고 해서 곧바로 반대하거나 비판하지 않는 겁니다. 대신 상대방의 입장에 서서 생각해보려 노력해야 합니다.

또한 상대방을 존중하는 마음자세도 필수적입니다. 그들의 말을 귀 담아 듣고, 진심으로 이해하고자 하는 열의가 있어야 합니다. 상대방의 경험과 감정을 인정하고, 판단하지 않으며 어떤 생각과 말이라도 열린 마음으로 받아들이는 자세가 필요합니다.

특히 편견과 선입견을 잠시 내려놓고 대화에 임할 필요가 있습니다. 우리 모두는 어릴 적부터 쌓인 고정관념과 가정들을 가지고 있습니다.

하지만 이를 강요한다면 상대방의 이야기를 제대로 듣기 어려워집니다. 나의 기존 믿음을 우선 잠시 멈추고, 상대방의 관점에 진정 주목해야 하는 것입니다.

동시에 상대방의 말을 받아들일 만한 여유 있는 자세도 중요합니다. 나와 다른 의견을 듣고 곧바로 부정하거나 화내기보다는, 일단 그 말을 온전히 경청하려 노력해야 합니다. 말 한마디에 쉽게 동요되지 않고, 냉정하게 대화에 임하는 마음가짐이 필요한 것입니다.

또한 상대방의 이야기를 듣는 중에도 주의력을 잃지 말아야 합니다. 마음이 딴 곳으로 빠지거나 잡념에 휩싸이지 않도록 집중력을 기르는 것이 중요합니다. 온전히 상대방에게만 주의를 기울일 때 비로소 그들의 말을 제대로 경청할 수 있는 것입니다.

이렇게 열린 마음과 존중하는 자세, 편견 없는 태도와 여유로움, 그리고 집중력까지 갖출 때 우리는 진정한 경청자가 될 수 있습니다. 대화에 최적화된 마음가짐을 기르기 위해서는 꾸준한 노력과 연습이 필요할 것입니다. 하지만 이를 통해 상대방과 더욱 깊은 이해와 신뢰를 쌓아갈 수 있을 것입니다.

"가족은 서로를 지지하고 사랑할 수 있는 유일한 장소입니다. 가족이야말로 우리가 진정한 자신이 될 수 있는 곳입니다."
- 마야 안젤루 -

"우리의 최고 소원은 다른 이들이 우리의 말을 듣고자 하는 것이다. 더없이 큰 사랑의 표현은 바로 내 말에 주의를 기울여주는 것이다."
- 마이클 노바크(Michael Novak) -

제5장
잘 듣는 것은 노력이고
기술이다

우리는 앞서 경청의 중요성과 그 기술에 대해 살펴보았습니다. 상대방의 말에 주의를 기울이고, 열린 자세로 그들의 입장을 이해하고자 하는 자세가 필요함을 알게 되었지요. 하지만 경청은 결코 쉬운 일이 아닙니다. 단순히 귀를 열고 있다고 해서 제대로 된 경청이 이뤄지는 것은 아니기 때문입니다.

진정한 경청을 위해서는 의식적인 노력과 지속적인 연습이 수반되어야 합니다. 경청의 기술을 체화하기 위한 과정이 필요한 것이지요. 우선 상대방의 말에 집중하는 법부터 다시 한번 되새겨볼 필요가 있습니다. 대화 중에도 우리는 종종 다음 말을 준비하거나 잡념에 빠져 상대방의 이야기를 놓치기 일쑤입니다. 이런 나쁜 습관을 인식하고 바꾸려는 의지가 필요합니다.

또한 상대방의 비언어적 신호에도 주의를 기울여야 합니다. 몸짓, 표정, 어조 등에는 말로 표현되지 않는 의미가 담겨 있습니다. 이런 미묘한 신호를 포착하는 능력 또한 경청을 위한 중요한 기술입니다.

나아가 적극적으로 상대방의 말을 경청하고자 하는 자세도 필요합니다. 상대방의 이야기를 요약하고 반영하며, 궁금한 점을 질문하는 등 대화에 활발히 개입해야 합니다. 이를 통해 상대방 또한 내가 진심으로 자신의 이야기를 듣고자 함을 느끼게 될 것입니다.

무엇보다도 경청을 위해서는 자기 인식과 개방적 자세가 필수적입니다. 나의 선입견과 가정들을 잠시 내려놓고 상대방의 말에 귀 기울여야 합니다. 이렇게 열린 마음으로 대화에 임할 때 비로소 상대방을 있는 그대로 이해할 수 있게 됩니다.

이런 경청의 기술들을 일상에서 하나씩 실천해 나가는 것이 중요합니다. 가족, 친구, 동료들 과의 대화에서 의식적으로 경청하는 연습을 해나가다 보면 점차 그 기술이 체화 될 것입니다. 처음에는 어렵고 어색할 수 있지만, 꾸준한 노력 끝에 자연스러운 경청자가 될 수 있을 것입니다.

경청은 상대방에 대한 존중과 배려의 마음가짐에서 비롯됩니다. 이를 위해서는 지속적인 관심과 노력이 필요한 것이지요. 하지만 그 과정 자체가 우리 자신과 대인관계를 더욱 성장시켜 줄 것입니다. 작은 실천을 통해 경청의 기술과 습관을 기르며, 원활한 소통과 행복한 인간관계로 나아가는 것, 그것이야 말로 우리가 꾸준히 노력해야 할 과정입니다.

5-1. 가족과의 대화: 경청 실천의 첫걸음

우리는 종종 가장 가까운 사람들, 특히 가족과의 대화에서 경청의 중요성을 간과하곤 합니다. 하지만 진정한 소통과 깊은 유대감을 위해서는 가정에서부터 경청을 실천하는 것이 매우 중요합니다. 그 중에서도 부모와 자녀 간의 대화는 경청의 힘을 가장 잘 보여주는 예일 것입니다.

부모가 자녀의 이야기에 진심으로 귀 기울이는 것은 단순히 정보를 얻는 것 이상의 의미를 지닙니다. 그것은 자녀에 대한 사랑과 존중을 표현하는 방법이며, 자녀가 안전하고 이해 받는다고 느끼게 해주는 행위입니다. 이를 통해 자녀는 자신감을 기르고, 부모와 더 깊은 정서적 유대감을 형성할 수 있습니다.

경청의 기술을 연마하기 위해서는 일상생활에서 실천하는 작은 노력이 중요합니다. 그중 하나는 바로 가까운 사람들을 '고객'처럼 대하며 경청하는 연습을 해보는 것입니다. 이를 통해 우리는 대화의 근본적인 가치를 다시금 일깨울 수 있습니다.

먼저 상대방을 존중하는 태도로 임해야 합니다. 고객을 대하듯 배려하며 그들의 말에 주의를 기울이는 것이지요. 예를 들어 부부 사이에서도 이런 자세가 필요합니다. 서로를 소중히 여기고, 상대방의 의견과 감정에 귀 기울일 때 비로소 진정한 연결고리가 만들어지기 때문입니다.

상대방의 이야기에 주의를 기울이고 그들의 입장에서 바라보려 노력한다면, 더 깊은 이해와 신뢰가 쌓일 것입니다. 또한 갈등 상황에서도 이런 존중의 태도로 대화에 임한다면 더 건설적인 해결책을 찾을 수 있습니다.

이러한 존중의 자세는 부부에게만 국한되지 않습니다. 가족들, 친구들, 동료들과의 대화에서도 충분히 실천해볼 수 있습니다. 그들의 목소리에 진심으로 귀 기울이고자 하는 마음가짐 하나로도 대화의 질이 높아지는 것을 느낄 수 있을 것입니다.

이처럼 가까운 이들을 고객으로 여기며 경청하는 습관은 경청 기술을 연마하는 따뜻한 시작점이 됩니다. 상대방을 존중하고 배려할 때 우리는 비로소 그들의 이야기에 진심을 다해 주의를 기울일 수 있습니다. 점차 이 작은 습관이 체화 되어 갈수록 우리의 경청 능력 또한 자연스럽게 성장할 것입니다.

무엇보다 이 과정에서 우리는 대화의 참된 가치, 즉 상호 이해와 존중의 의미를 발견하게 됩니다. 이렇게 하나씩 실천해 나가며 경청의 기술과 습관을 길러 나간다면, 원활한 소통과 행복한 인간관계 또한 자연스레 꽃 피울 수 있을 것입니다.

예를 들어, 딸이 학교에서 있었던 일을 이야기할 때, 부모가 다른 생각에 빠져 대화에 집중하지 않는다면 딸은 자신이 소중하게 여겨지지 않는다고 느낄 수 있습니다. 반면, 부모가 일시적인 걱정거리를 미뤄두고 딸의 이야기에 주의를 기울인다면, 딸은 자신이 사랑받고 존중받고 있다고 느끼게 될 것입니다.

이때 부모는 1장에서 다룬 경청의 실천 방법들을 활용할 수 있습니다. 눈을 맞추고, 고개를 끄덕이며, 집중하는 등의 적극적인 듣기 자세를 보이는 것이 중요합니다. 또한, 딸의 말을 끊지 않고 끝까지 들어주며, "그 실험은 어떻게 진행된 거야?"와 같은 개방형 질문을 통해 대화를 이어 나갈 수 있습니다.

대화가 끝난 후에는 "정말 흥미로운 하루였네. 더 이야기하고 싶은 거 있어?"와 같이 피드백을 제공함으로써, 자녀의 이야기에 대한 관심과 이해를 표현할 수 있습니다. 이러한 과정을 통해 부모와 자녀는 서로의 생각과 감정을 더 깊이 이해하게 되고, 가족 간의 유대는 더욱 돈독해질 것입니다.

가정에서의 경청 실천은 자녀의 성장과 발달에도 큰 영향을 미칩니다. 부모의 경청을 통해 자녀는 자신의 감정을 표현하는 법을 배우고, 타인과 효과적으로 소통하는 방법을 익힐 수 있습니다. 나아가 이는 자녀가 건강한 대인관계를 형성하고, 사회적 기술을 발달시키는 데에도 기여할 것입니다.

따라서 우리는 가정에서부터 경청을 실천하는 것이 얼마나 중요한지를 인식하고, 이를 일상에서 꾸준히 적용해야 합니다. 가족 구성원 간의 대화에서 서로의 말에 귀 기울이고, 공감과 이해를 표현하는 것. 그것이 바로 우리가 가정에서 경청을 통해 이루고자 하는 목표일 것입니다.

가정에서의 경청 실천은 부모와 자녀 간의 관계에서만 중요한 것이 아닙니다. 배우자와의 대화에서도 경청은 매우 큰 역할을 합니다. 하지만 안타깝게도 많은 부부들이 일상의 바쁨 속에서 서로의 말에 귀 기울이는 것을 잊고 살아가곤 합니다.

예를 들어, 아내가 남편에게 말을 걸 때 남편이 텔레비전 드라마에만 집중하고 있다면, 아내는 자신이 소홀히 여겨진다고 느낄 수 있습니다. 이는 부부 사이의 갈등과 불만을 야기할 수 있는 상황입니다. 반면, 남편이 드라마를 잠시 멈추고 아내에게 눈을 맞추며 귀 기울인다면, 아내는 자신이 사랑받고 존중받고 있다고 느끼게 될 것입니다.

물론, 바쁜 일상 속에서 항상 완벽한 경청을 실천하기란 쉽지 않을 수 있습니다. 하지만 작은 노력으로도 큰 변화를 만들어낼 수 있습니다. 예컨대, 저녁 준비로 바쁜 와중에도 자녀의 질문에 잠시 눈을 맞추고 귀 기울이는 것만으로도, 자녀는 자신이 소중하게 여겨진다고 느낄 수 있습니다.

배우자와의 대화에서도 마찬가지입니다. 상대방의 말에 완벽하게 집중하지 못하더라도, 눈을 맞추고 간단한 호응을 해주는 것만으로도 대화의 질은 크게 달라질 수 있습니다. "응", "그래", "그랬어?"와 같은 짧은 추임새는 상대방에게 당신이 듣고 있다는 것을 알려주는 강력한 신호가 됩니다.

이렇게 배우자와의 대화에서 경청을 실천함으로써, 우리는 서로에 대한 이해와 존중을 깊이 있게 표현할 수 있습니다. 이는 부부 관계를 더욱 견고하고 행복하게 만드는 기반이 될 것입니다. 나아가, 부모의 건강한 의사소통 방식은 자녀에게도 긍정적인 영향을 미칠 수 있습니다. 부모의 모습을 통해 자녀는 대화와 경청의 중요성을 자연스럽게 배우게 될 것이기 때문입니다.

많은 사람들, 특히 사회 초년생들이 대화에 어려움을 호소하곤 합니다. 하지만 우리가 가정에서부터 경청을 실천하고, 그 가치를 깨닫는다면 이러한 어려움을 충분히 극복할 수 있을 것입니다. 가정은 경청의 기술을 배우고 익히기에 가장 좋은 장소이자, 그 효과를 가장 크게 느낄 수 있는 공간이기 때문입니다.

따라서 우리는 일상의 바쁨 속에서도 가족과의 대화에 경청의 힘을 불어넣어야 합니다. 자녀와 배우자의 말에 귀 기울이고, 그들의 마음을 이해하려 노력하는 것. 그것이 바로 우리 가정을 더욱 행복하고 건강하게 만드는 경청의 힘이 될 것입니다.

성인이 된 자녀와 부모의 대화를 통해 경청의 중요성과 실천 방법을 살펴보겠습니다.
[예시 1: 경청하지 않는 부모의 대화]
자녀: 엄마, 저 일 년 만 다니고 다른 업계로 이직할 거예요.
부모: 뭐라고? 그렇게 힘들게 들어간 회사를 1년 만에 그만둔다고? 이유가 뭔데?
자녀: 회사일은 힘들어도 할 만해요. 그런데 직장 동료나 상사가 하는 말과 표정 때문에 상처를 받는 게 너무 힘들어요. 사람들이 말을 함부

로 하는 것 같아서요. 서로 상처 주지 않는 성숙한 사람들과 일하고 싶어서 이직을 생각하고 있어요.

부모: 아니, 회사 사람들이 다 너 마음대로 할 줄 알았어? 직장 생활이 녹록치 않은 건 다 마찬가지라고. 게다가 요즘 취업이 얼마나 힘든데, 그런 식으로 회사를 옮겨 다닐 수 있을 것 같아? 네 아빠도 결혼 초에는 좋아 보였지만, 나중에는 내 말은 안 듣고 속을 썩이더라. 그래도 참고 살면서 좋은 점을 보려고 노력했어. 가족도 아닌 남이 뭐 그렇게 큰 기대할 게 있다고 직원들 때문에 회사를 그만둬? 말도 안 되는 소리하지 말고 열심히 다녀!

자녀: 그래도 전 이직할 거예요! 제 직장이고 제 일이니까 제가 알아서 할게요!

예시1) 에서 부모는 자녀의 고민을 제대로 듣지 않고, 자신의 경험과 판단을 일방적으로 말하며 자녀의 결정을 비난합니다. 이는 자녀와의 소통을 막고, 자녀의 마음을 닫히게 만듭니다.

[예시 1-2: 경청과 지지의 대화 실천편]

자녀: 엄마, 저 일 년 만 다니고 다른 업계로 이직할 거예요.

부모: 그래? 입사한 지 얼마 안 되었는데 다른 직종으로 옮기고 싶다니, 혹시 무슨 힘든 일이라도 있었니?

자녀: 직원들이랑 안 맞아요. 지금 하는 일은 좋지만, 직장 동료나 상사가 하는 말과 표정 때문에 상처받는 게 너무 힘들어요. 사람들이 말을 너무 함부로 하는 것 같아요. 서로에게 상처 주지 않는 성숙한 사람들과 직장생활을 하고 싶어서 이직까지 생각하고 있어요.

202

부모: 그렇구나. 직원들과 갈등이 있었던 거네. 우리 딸, 그동안 참 힘들었겠다. 엄마는 네가 잘 참고 열심히 다니고 있는 줄만 알았어. 혹시 어떤 부분에서 직장 상사나 동료가 상처 주고 힘들게 했는지 좀 더 말해줄 수 있겠니?

자녀: 제가 지난번에 처리해야 하는 일을 깜빡 잊고 놓쳤어요. 그럴 때는 그냥 다시 하라고 하면 될 텐데, 상사가 저를 엄청 무시하는 표정으로 말하는 거예요. 말투도 기분 나빴고요. 자기가 사장도 아니고 회장도 아닌데 왜 그런 식으로 대하는지 이해가 안 가요. 본인은 실수 한 번 안 하나요?

부모: 이런 일이 있었구나. 너도 실수한 것 때문에 놀라고 힘들었을 텐데, 거기에 상사의 부적절한 태도까지 겪어야 했으니 정말 속상했겠다. 엄마도 네 마음이 이해가 간다. 상사들이 때로는 직원의 실수를 너무 엄격하게 대하는 경우가 있지. 하지만 실수를 통해 배우는 게 있으니까 너무 상처받지 마. 넌 정말 잘하고 있어.

자녀: 고마워요, 엄마. 엄마가 내 말을 이렇게 들어주니까 한결 마음이 편해지네요.

부모: 그런 상황에서 직장을 바꾸고 싶다는 생각이 드는 건 당연해. 중요한 건 너에게 가장 좋은 결정을 내리는 거야. 이직에 대해서 좀 더 구체적으로 생각해 본 게 있니? 엄마도 같이 장단점을 살펴보면서 네가 하는 결정을 응원할게.

자녀: 사실 아직 구체적인 계획은 없어요. 그냥 지금 상황이 너무 힘들어서 벗어나고 싶다는 생각이 간절했던 것 같아요.

부모: 네 말을 듣고 보니, 지금 너에게는 이직보다는 현재의 관계에서 오는 스트레스를 해소하는 게 더 중요할 것 같구나. 상사에게 네 생각과 감정을 솔직하게 전달해보는 건 어떨까? 물론 쉽지 않은 일이지만,

상대방 입장에서는 네가 얼마나 상처받았는지 깨닫지 못했을 수도 있어.

자녀: 좋은 생각이에요. 제 감정을 전달하는 게 두렵기는 한데, 한번 용기 내어 해볼게요. 조언 정말 고마워요, 엄마.

부모: 정말 대견하다. 네가 옳은 선택을 할 거라 믿어. 도움이 필요하면 언제든 말해줘. 엄마는 항상 네 편이야.

이 대화에서 부모는 자녀의 이야기를 주의 깊게 듣고, 그 감정에 공감하며 지지와 격려를 보냅니다. 자녀가 처한 상황을 이해하려 노력하고, 함께 해결책을 모색하는 모습을 보입니다. 또한, 성급한 조언보다는 자녀 스스로 문제를 돌아보고 해결할 수 있도록 돕는 방식을 취합니다.

이런 대화야말로 상호 존중과 신뢰를 바탕으로 한, 진정한 소통의 모습이라 할 수 있겠습니다. 부모의 경청과 공감적 태도는 자녀로 하여금 자신의 생각과 감정을 더 잘 표현할 수 있게 해주며, 나아가 문제 해결을 위한 내적 힘을 길러줍니다.

물론, 직장이든 어디든 완벽한 환경은 없습니다. 하지만 이런 대화의 경험이 쌓일수록, 우리는 어려운 상황에 더욱 지혜롭게 대처할 수 있는 힘을 기를 수 있습니다. 가족 간의 대화에서 경청과 공감의 힘을 배운다면, 그것은 분명 우리의 인생을 한층 더 성숙하게 가꿔줄 것입니다

가정에서의 경청 실천은 부모와 자녀 간의 관계에서만 중요한 것이 아닙니다. 배우자와의 대화에서도 경청은 매우 큰 역할을 합니다. 하지만 안타깝게도 많은 부부들이 일상의 바쁨 속에서 서로의 말에 귀 기울이는 것을 잊고 살아가곤 합니다.

예를 들어, 아내가 남편에게 말을 걸 때 남편이 텔레비전 드라마에만 집중하고 있다면, 아내는 자신이 소홀히 여겨진다고 느낄 수 있습니다. 이는 부부 사이의 갈등과 불만을 야기할 수 있는 상황입니다. 반면, 남편이 드라마를 잠시 멈추고 아내에게 눈을 맞추며 귀 기울인다면, 아내는 자신이 사랑받고 존중받고 있다고 느끼게 될 것입니다.

물론, 바쁜 일상 속에서 항상 완벽한 경청을 실천하기란 쉽지 않을 수 있습니다. 하지만 작은 노력으로도 큰 변화를 만들어낼 수 있습니다. 예컨대, 저녁 준비로 바쁜 와중에도 자녀의 질문에 잠시 눈을 맞추고 귀 기울이는 것만으로도, 자녀는 자신이 소중하게 여겨진다고 느낄 수 있습니다.

배우자와의 대화에서도 마찬가지입니다. 상대방의 말에 완벽하게 집중하지 못하더라도, 눈을 맞추고 간단한 호응을 해주는 것만으로도 대화의 질은 크게 달라질 수 있습니다. "응", "그래", "그랬어?"와 같은 짧은 추임새는 상대방에게 당신이 듣고 있다는 것을 알려주는 강력한 신호가 됩니다.

이렇게 배우자와의 대화에서 경청을 실천함으로써, 우리는 서로에 대한 이해와 존중을 깊이 있게 표현할 수 있습니다. 이는 부부 관계를 더욱 견고하고 행복하게 만드는 기반이 될 것입니다. 나아가, 부모의 건강한 의사소통 방식은 자녀에게도 긍정적인 영향을 미칠 수 있습니다. 부모의 모습을 통해 자녀는 대화와 경청의 중요성을 자연스럽게 배우게 될 것이기 때문입니다.

많은 사람들, 특히 사회 초년생들이 대화에 어려움을 호소하곤 합니다. 하지만 우리가 가정에서부터 경청을 실천하고, 그 가치를 깨닫는다면 이러한 어려움을 충분히 극복할 수 있을 것입니다. 가정은 경청의 기술을 배우고 익히기에 가장 좋은 장소이자, 그 효과를 가장 크게 느낄 수 있는 공간이기 때문입니다.

따라서 우리는 일상의 바쁨 속에서도 가족과의 대화에 경청의 힘을 불어넣어야 합니다. 자녀와 배우자의 말에 귀 기울이고, 그들의 마음을 이해하려 노력하는 것. 그것이 바로 우리 가정을 더욱 행복하고 건강하게 만드는 경청의 힘이 될 것입니다.

성인이 된 자녀와 부모의 대화를 통해 경청의 중요성과 실천 방법을 살펴보겠습니다.

[예시 1: 경청하지 않는 부모의 대화]
자녀: 엄마, 저 일 년 만 다니고 다른 업계로 이직할 거예요.

부모: 뭐라고? 그렇게 힘들게 들어간 회사를 1년 만에 그만둔다고? 이유가 뭔데?

자녀: 회사일은 힘들어도 할 만해요. 그런데 직장 동료나 상사가 하는 말과 표정 때문에 상처를 받는 게 너무 힘들어요. 사람들이 말을 함부로 하는 것 같아서요. 서로 상처 주지 않는 성숙한 사람들과 일하고 싶어서 이직을 생각하고 있어요.

부모: 아니, 회사 사람들이 다 너 마음대로 할 줄 알았어? 직장 생활이 녹록치 않은 건 다 마찬가지라고. 게다가 요즘 취업이 얼마나 힘든데, 그런 식으로 회사를 옮겨 다닐 수 있을 것 같아? 네 아빠도 결혼 초에는 좋아 보였지만, 나중에는 내 말은 안 듣고 속을 썩이더라. 그래도 참고 살면서 좋은 점을 보려고 노력했어. 가족도 아닌 남이 뭐 그렇게 큰 기대할 게 있다고 직원들 때문에 회사를 그만둬? 말도 안 되는 소리하지 말고 열심히 다녀!

자녀: 그래도 전 이직할 거예요! 제 직장이고 제 일이니까 제가 알아서할게요!

예시1) 에서 부모는 자녀의 고민을 제대로 듣지 않고, 자신의 경험과 판단을 일방적으로 말하며 자녀의 결정을 비난합니다. 이는 자녀와의 소통을 막고, 자녀의 마음을 닫히게 만듭니다.

[예시 1-2: 경청과 지지의 대화 실천편]

자녀: 엄마, 저 일 년만 다니고 다른 업계로 이직할 거예요.

부모: 그래? 입사한 지 얼마 안 되었는데 다른 직종으로 옮기고 싶다니, 혹시 무슨 힘든 일이라도 있었니?

자녀: 직원들이랑 안 맞아요. 지금 하는 일은 좋지만, 직장 동료나 상사가 하는 말과 표정 때문에 상처받는 게 너무 힘들어요. 사람들이 말을 너무 함부로 하는 것 같아요. 서로에게 상처 주지 않는 성숙한 사람들과 직장생활을 하고 싶어서 이직까지 생각하고 있어요.

부모: 그렇구나. 직원들과 갈등이 있었던 거네. 우리 딸, 그동안 참 힘들었겠다. 엄마는 네가 잘 참고 열심히 다니고 있는 줄만 알았어. 혹시 어떤 부분에서 직장 상사나 동료가 상처 주고 힘들게 했는지 좀 더 말해줄 수 있겠니?

자녀: 제가 지난번에 처리해야 하는 일을 깜빡 잊고 놓쳤어요. 그럴 때는 그냥 다시 하라고 하면 될 텐데, 상사가 저를 엄청 무시하는 표정으로 말하는 거예요. 말투도 기분 나빴고요. 자기가 사장도 아니고 회장도 아닌데 왜 그런 식으로 대하는지 이해가 안 가요. 본인은 실수 한 번 안 하나요?

부모: 이런 일이 있었구나. 너도 실수한 것 때문에 놀라고 힘들었을 텐데, 거기에 상사의 부적절한 태도까지 겪어야 했으니 정말 속상했겠

다. 엄마도 네 마음이 이해가 간다. 상사들이 때로는 직원의 실수를 너무 엄격하게 대하는 경우가 있지. 하지만 실수를 통해 배우는 게 있으니까 너무 상처받지 마. 넌 정말 잘하고 있어.

자녀: 고마워요, 엄마. 엄마가 내 말을 이렇게 들어주니까 한결 마음이 편해지네요.

부모: 그런 상황에서 직장을 바꾸고 싶다는 생각이 드는 건 당연해. 중요한 건 너에게 가장 좋은 결정을 내리는 거야. 이직에 대해서 좀 더 구체적으로 생각해 본 게 있니? 엄마도 같이 장단점을 살펴보면서 네가 하는 결정을 응원할게.

자녀: 사실 아직 구체적인 계획은 없어요. 그냥 지금 상황이 너무 힘들어서 벗어나고 싶다는 생각이 간절했던 것 같아요.

부모: 네 말을 듣고 보니, 지금 너에게는 이직보다는 현재의 관계에서 오는 스트레스를 해소하는 게 더 중요할 것 같구나. 상사에게 네 생각과 감정을 솔직하게 전달해보는 건 어떨까? 물론 쉽지 않은 일이지만, 상대방 입장에서는 네가 얼마나 상처받았는지 깨닫지 못했을 수도 있어.

자녀: 좋은 생각이에요. 제 감정을 전달하는 게 두렵기는 한데, 한번

용기 내어 해볼게요. 조언 정말 고마워요, 엄마.

부모: 정말 대견하다. 네가 옳은 선택을 할 거라 믿어. 도움이 필요하면 언제든 말해줘. 엄마는 항상 네 편이야.

이 대화에서 부모는 자녀의 이야기를 주의 깊게 듣고, 그 감정에 공감하며 지지와 격려를 보냅니다. 자녀가 처한 상황을 이해하려 노력하고, 함께 해결책을 모색하는 모습을 보입니다. 또한, 성급한 조언보다는 자녀 스스로 문제를 돌아보고 해결할 수 있도록 돕는 방식을 취합니다.

이런 대화야말로 상호 존중과 신뢰를 바탕으로 한, 진정한 소통의 모습이라 할 수 있겠습니다. 부모의 경청과 공감적 태도는 자녀로 하여금 자신의 생각과 감정을 더 잘 표현할 수 있게 해주며, 나아가 문제 해결을 위한 내적 힘을 길러줍니다.

물론, 직장이든 어디든 완벽한 환경은 없습니다. 하지만 이런 대화의 경험이 쌓일수록, 우리는 어려운 상황에 더욱 지혜롭게 대처할 수 있는 힘을 기를 수 있습니다. 가족 간의 대화에서 경청과 공감의 힘을 배운다면, 그것은 분명 우리의 인생을 한층 더 성숙하게 가꿔줄 것입니다

5-3. 일상의 다양한 상황에서 경청 연습하기

가족 관계를 망치게 하는 불통에 대하여

경청은 단번에 완성되는 기술이 아닙니다. 의식적인 노력과 꾸준한 실천이 필요한 과정입니다. 하지만 이 과정을 통해 우리는 보다 원활한 소통과 행복한 인간관계로 나아갈 수 있습니다.

그렇다면 일상에서 경청을 연습할 수 있는 구체적인 방법은 무엇일까요?

가족 간의 대화에서 피해야 할 말과 주의사항을 알아보고 몇 가지 주의할 사항을 알아보겠습니다.

가장 가까운 이들, 바로 가족들과의 대화가 좋은 실천 무대가 될 것입니다. 가족 간의 대화에서 경청하는 법을 익혀나간다면 자연스럽게 타인과의 소통에도 적용할 수 있게 되겠지요.

하지만 가족 간의 대화라고 해서 모든 말이 용납되는 것은 아닙니다. 상대방에게 상처를 주거나 대화의 분위기를 꺼트리는 일부 발언들에는 주의를 기울여야 합니다. 예를 들어 "너는 항상...", "너는 절대..." 와 같은 절대적이고 일반화된 비난은 피해야 합니다. 이런 말들은 상대방을 궁지로 몰아세우고 방어적인 태도를 유발할 수 있기 때문입니다.

또한 개인의 외모, 능력 등을 모욕하는 발언이나 비꼬고 조롱하는 말투 역시 신중해야 합니다. 가벼운 농담으로 여길 수 있지만, 상대방에게는 큰 상처가 될 수 있습니다. 과거의 잘못을 되풀이하여 언급하는 것도 바람직하지 않습니다.

이런 말들은 결국 가족 간의 신뢰를 손상시키고 감정적 거리를 만들어 원활한 대화를 가로막게 됩니다. 특히 감정적으로 격앙된 상태에서 대화를 나누는 것은 바람직하지 않습니다. 상대방의 말에 주의를 기울이기 어렵고, 생산적인 대화를 이어가기 힘들기 때문입니다. 차분한 마음가짐을 갖추는 것이 좋습니다.

또한 상대방의 이야기를 끝까지 듣고, 그들의 관점을 이해하려 노력해야 합니다. 듣는 내내 상대방의 말을 중단하거나 자신의 의견을 강요해서는 안 됩니다. 비방이나 비난 대신 '나'메시지를 사용하여 자신의 감정과 생각을 전달하는 것이 바람직합니다.

무엇보다 대화에서 문제 제기에만 그치지 말고, 해결책을 모색하는 데도 초점을 맞추는 것이 중요합니다. 서로의 의견을 존중하며 함께 노력할 때 가족 관계는 더욱 돈독해질 수 있습니다.

결국 가족 간 원활한 대화와 관계 유지를 위해서는 경청하는 자세가 필수적입니다. 상대방을 존중하고 배려하며, 건설적이고 긍정적인 말과 태도를 보여야 하는 것입니다. 이렇게 실천해 나간다면 가족들과 더욱 행복한 대화를 나눌 수 있을 것입니다.

요약

[가족 간 대화에서 피해야 할 말]

- 절대적이고 일반화된 비난 (너는 항상..., 너는 절대...)
- 모욕적인 발언 (외모, 지능, 능력 등에 대한 비하)
- 비꼬거나 조롱하는 말투
- 과거의 실수나 오래된 불만을 계속 들추는 말

[주의사항]

- 감정적으로 격앙된 상태에서는 대화를 피하는 것이 좋음
- 상대방의 말을 끝까지 듣고 관점을 이해하려 노력할 것
- 비방, 비난 대신 '나'메시지를 사용하여 자신의 감정/생각 전달
- 문제 제기뿐 아니라 해결책 모색에도 초점을 맞출 것

[바람직한 대화를 위해]

- 상대방에게 주의를 기울이고 입장을 존중할 것
- 비언어적 피드백(눈맞춤, 끄덕임 등)으로 경청 자세 보일 것
- 공감적 반응과 개방적 질문을 통해 상대방의 감정 이해하기

5-4. 지속적인 노력과 피드백으로 경청 능력 기르기

경청은 지속적인 노력과 연습으로 체화 되는 기술입니다. 특히 가족 관계 속에서 자녀의 성장 단계에 맞추어 부모 또한 대화 방식을 성장시켜 나가는 것이 중요합니다. 이를 통해 원활한 소통과 신뢰가 쌓이고, 자녀의 전인적 발달에도 큰 도움이 되기 때문입니다.

여기에 더해 부모가 지속적으로 자기 성장을 이어 나간다면 자녀에게도 긍정적인 영향을 미칠 수 있습니다. 무엇보다 자녀는 정서적 안정감을 경험하게 됩니다. 부모가 자신의 감정을 잘 조절하고 스트레스에 건강하게 대처하는 모습을 보면서, 자녀 또한 정서를 올바르게 다스리는 법을 배우게 되는 것이지요.

더불어 성장하는 부모는 다양한 사회적 상황에서 적절한 행동 방식을 자녀에게 모범으로 보여줍니다. 이를 통해 자녀는 대인관계 기술과 사회성을 자연스럽게 익혀 나갈 수 있습니다. 심리학 연구에 따르면 이런 사회적 기술은 학교생활, 직장생활, 대인관계 등 전반적인 삶의 만족도와 깊은 연관이 있다고 합니다.

결국 부모가 성장을 지속하며 노력한다는 것은 곧 자녀에게도 정서적, 사회적으로 건강하고 행복한 모습을 보여주는 과정이 됩니다. 자녀는 부모의 모습을 통해 감정 다스리기, 대인관계 기술 등을 몸소 익히고 성장할 수 있습니다.

때문에 경청 능력을 기르기 위해서는 부모 자신의 지속적인 성장과 노력이 선행되어야 합니다. 성장하는 부모의 모습은 자녀에게 좋은 영향을 끼치며, 부모 역시 경청하는 능력을 잘 발휘할 수 있게 될 것입니다. 이렇게 함께 성장해 나갈 때 비로소 가족 관계에서 원활한 소통과 행복한 대화가 가능해질 것입니다.

부모가 자녀의 성장 단계에 맞추어 대화 방식을 발전시키지 않는다면 여러 부정적인 영향이 발생할 수 있습니다.

첫째, 정서적 불안정을 초래할 수 있습니다. 자기 성장을 멈춘 부모는 자신의 감정을 잘 조절하지 못하게 되고, 이는 가정 내 정서적으로 불안정한 환경을 만듭니다. 자녀 또한 이런 분위기에서 감정 조절에 어려움을 겪거나 우울, 불안 등의 문제가 생길 위험이 높아집니다.

둘째, 자녀의 적응력 부족을 초래할 수 있습니다. 부모가 새로운 상황이나 스트레스에 대처하는 모습을 보여주지 않으면, 자녀도 어려운 환경에 적절히 대응하는 능력이 부족해집니다. 적응력은 삶의 도전을 건강하게 이겨내는 데 필수적인 능력입니다.

특히 사춘기 자녀의 경우 신체적, 정서적으로 급격한 변화를 겪기 때문에 부모의 성장과 노력이 중요합니다. 부모가 변화에 발맞추지 못하면 의사소통 단절, 갈등 증가, 정서적 지원 부족, 사회적 기술 발달 장애 등의 어려움이 발생할 수 있습니다.

이를 방지하기 위해서는 부모가 지속적으로 의사소통 기술과 갈등 해결 능력, 정서 지원 능력을 기르는 것이 중요합니다. 자녀의 변화를 이해하고 함께 성장해나가야 사춘기에도 건강한 관계를 유지할 수 있습니다.

더 나아가 부모의 성장 정체는 자녀의 자아 발달과 독립성, 나아가 성인기 정신 건강에도 부정적인 영향을 미칠 수 있습니다. 어린 시절 방식 그대로 부모가 지시하고 억압한다면 자녀의 심리적 발달에 심각한 저해가 생길 수 있습니다.

부모가 자녀의 성장 단계에 맞추어 대화 방식을 발전시키지 않으면 여러 부정적인 영향이 초래될 수 있습니다. 특히 사춘기 자녀에게는 정서적 불안정, 적응력 부족 등의 어려움이 생길 수 있습니다.

더 나아가 부모가 일방적이고 억압적인 태도로 자녀를 대한다면 자녀의 심리에도 해로운 영향을 끼칠 수 있습니다. 무엇보다 자아존중감이 저하될 수 있습니다. 자신의 의견을 과소평가하고 지속적으로 지시하는 환경에서 자란 자녀는 자신의 가치와 능력을 의심하게 되는 것이지요.

또한 독립성의 부재 문제도 발생할 수 있습니다. 사춘기는 자녀가 독립심을 기르는 중요한 시기인데, 과도한 부모의 통제로 인해 자녀는 자신의 선택과 결정 능력을 제대로 기르지 못하게 됩니다.

대인관계 기술 부족도 문제가 됩니다. 부모와의 대화가 일방적이었다면 자녀는 효과적인 의사소통과 갈등 해결 전략을 배우지 못하고, 이는 다른 대인관계에도 어려움을 줄 수 있습니다.

이런 문제들이 해결되지 않으면 성인이 되어서도 여러 부정적인 영향이 이어집니다. 정서적 문제인 불안, 우울 등을 겪을 가능성이 높아지고, 친밀한 관계나 직장 생활에서도 어려움을 겪게 될 수 있습니다.

결국 부모가 자녀의 성장 단계에 맞춰 대화 방식을 발전시키지 않으면 자녀의 전 생애에 걸쳐 부정적인 영향이 미칠 수 있습니다. 자아존중감, 독립심, 대인관계 기술 등의 문제가 발생할 수 있고, 더 나아가 성인기의 정서적 불안정과 대인관계 및 직장 생활의 어려움으로 이어질 수 있습니다.

때문에 부모는 자녀의 성장 단계를 염두에 두고 지속적으로 대화 방식을 발전시켜 나가는 것이 필수적입니다. 자녀와 열린 소통을 이어가며 그들의 목소리에 귀 기울이는 자세가 중요합니다. 이를 통해 자녀가 심리적으로 건강하게 성장할 수 있도록 해야 합니다.특히 사춘기 자녀의 경우 신체적, 정서적으로 급격한 변화를 겪기 때문에 부모의 성장과 노력이 중요합니다. 부모가 변화에 발맞추지 못하면 의사소통 단절, 갈등 증가, 정서적 지원 부족, 사회적 기술 발달 장애 등의 어려움이 발생할 수 있습니다.

이를 방지하기 위해서는 부모가 지속적으로 의사소통 기술과 갈등 해결 능력, 정서 지원 능력을 기르는 것이 중요합니다. 자녀의 변화를 이해하고 함께 성장해나가야 사춘기에도 건강한 관계를 유지할 수 있습니다.

더 나아가 부모의 성장 정체는 자녀의 자아 발달과 독립성, 나아가 성인기 정신 건강에도 부정적인 영향을 미칠 수 있습니다. 어린 시절 방식 그대로 부모가 지시하고 억압한다면 자녀의 심리적 발달에 심각한 저해가 생길 수 있습니다.

경청 능력을 기르기 위해서는 부모 자신의 마음가짐이 무엇보다 중요합니다.

첫째, 개방적인 자세가 필요합니다. 자녀의 의견과 감정을 판단하지 않고 열린 마음으로 받아들여야 합니다. 이렇게 해야만 자녀가 안전한 환경에서 자신을 자유롭게 표현할 수 있습니다.

둘째, 인내심을 가져야 합니다. 변화는 하루아침에 이루어지지 않습니다. 과정을 인내심을 가지고 지켜보며, 때로는 시행착오를 겪더라도 지속적인 노력을 통해 상황이 개선될 것이라는 믿음을 가져야 합니다.

셋째, 자기반성의 자세가 필요합니다. 부모 자신의 행동과 말이 자녀에게 어떤 영향을 미치는지 늘 되돌아보아야 합니다. 이를 통해 개선이 필요한 부분을 발견하고 전문가의 도움을 구할 수도 있습니다.

이러한 마음가짐을 바탕으로 부모는 자녀와의 관계를 개선할 수 있습니다. 먼저 경청하는 자세가 필수적입니다. 자녀의 말을 끊거나 서두르지 않고 끝까지 주의 깊게 들어주어야 합니다. 이를 통해 자녀는 자신의 의견이 존중받고 있다고 느낄 것입니다.
또한 자녀가 표현하는 감정의 유효성을 인정해주어야 합니다. 감정을 이해하고 공감해주면, 자녀는 감정을 자유롭게 표현할 수 있게 됩니다.

동시에 지지적인 의사소통 태도가 필요합니다. 자녀의 독립성을 존중하고 그들 스스로 생각하고 결정할 수 있음을 보여주어야 합니다. 개방적인 질문을 하여 자녀가 사려 깊은 선택을 내릴 수 있도록 이끌어주는 것이 좋습니다.

마지막으로 유연성 있는 태도도 중요합니다. 상황에 맞춰 접근법을 조정할 줄 알아야 하며, 필요하다면 전문가의 조언을 구하는 것도 고려해야 합니다.

경청은 타고난 능력이 아닌 꾸준한 노력과 실천을 통해 기를 수 있는 기술입니다. 일회성으로 완성되는 것이 아니라 지속적인 과정이 필요합니다. 하지만 그 과정 자체가 우리에게 많은 것을 가르쳐 줄 것입니다.

가족과의 대화에서 경청을 연습하고 피드백을 받는 일은 단순히 경청 능력을 기르는 것 이상의 의미를 지닙니다. 우리는 가족의 소중함과 서로를 향한 존중과 사랑의 마음을 배우게 됩니다.

때로는 실수를 겪고 서로를 이해하지 못하는 상황도 있겠지만, 그 과정에서 인내심을 기르고 열린 자세로 변화를 받아들이는 법을 배웁니다. 경청을 연습하며 우리는 점점 성장하고 성숙해질 것입니다.

경청은 원활한 의사소통과 행복한 인간관계로 가는 길잡이가 됩니다. 상대방의 말에 주의를 기울이고 그들의 감정을 읽어내며, 때로는 침묵 속에서 그들의 목소리에 귀 기울이는 것, 이것이 바로 경청의 참된 모습입니다.

세상을 변화시키는 가장 강한 힘은 경청하는 것이라고 합니다. 우리 모두가 서로의 이야기를 들어주며, 그 속에서 서로에 대한 이해와 공감을 이뤄 나간다면 모두가 행복해질 수 있을 것입니다.

경청의 기술을 익히기 위한 지속적인 노력은 결코 헛되지 않습니다. 매 순간 최선을 다해 실천해 나가다 보면, 어느 순간 우리는 자연스럽게 경청의 달인이 되어 있을 것입니다. 그리고 그 여정 자체가 우리 인생을 보다 나은 방향으로 이끌어 줄 것입니다.

요약
1. 경청은 단번에 완성되는 기술이 아니라 지속적인 노력과 연습을 통

해 기를 수 있는 능력입니다.

2. 가족 관계 속에서 경청 능력을 기르기 위해서는 다음이 필요합니다:
- 자녀의 성장 단계에 맞추어 대화 방식을 발전시켜야 합니다.
- 부모 자신이 지속적으로 성장하고 노력해야 합니다.
- 일상에서 경청 기술을 실천하고 피드백을 받아야 합니다.

3. 경청을 방해하는 요소들이 있으므로 이를 주의해야 합니다:
- 절대적 비난, 모욕적 발언, 조롱 등의 부정적인 말과 태도
- 감정적으로 격앙된 상태에서의 대화

4. 경청에 도움되는 자세와 태도들이 있습니다:
- 상대방 말에 주의를 기울이고 비언어적 신호도 포착
- 공감적 반응, 개방적 질문으로 상대방 감정 이해
- 상호 존중하며 협력적으로 해결책 모색

5. 부모 자신의 마음가짐이 중요합니다:
- 개방성, 인내심, 자기반성의 자세가 필요
- 경청하는 자세, 감정 인정, 지지적 의사소통, 유연성 있어야 합니다.

6. 지속적 노력과 피드백으로 경청 습관을 길러 나가면 원활한 소통과 행복한 관계로 나아갈 수 있습니다.

경청을 위해서는 상대방의 이야기를 잘 들어주기 위해서는 차분하고 집중할 수 있는 자세가 먼저 필요합니다. 여러분에게 경청의 기술향상에 도움이 될 만한 책들을 소개해드리겠습니다.

1. "지금 이 순간을 살아라" (The Power of Now) - 에크하르트 톨레
현재 순간에 집중하고 마음의 평화를 찾는 방법을 탐구하는 책입니다. 급한 성격을 가진 분들이 순간을 인식하고 내면의 평정심을 유지하는 데 도움이 됩니다.

2. "마음챙김의 삶" (Full Catastrophe Living) - 존 카밧 진
마음챙김 명상의 중요성과 실천 방법을 소개하며, 현재에 집중하고 스트레스를 관리하는 데 유용한 통찰을 제공합니다.

3. "느리게 살기" (In Praise of Slowness) - 칼 혼레
빠르게 변하는 세상 속에서 느리게 살아가는 것의 가치를 탐구하며, 삶의 속도를 조절하는 방법을 제시합니다.

4. "7가지 습관" (The 7 Habits of Highly Effective People) - 스티븐 코비
효과적인 습관을 기르는 방법을 다루며, 인내심을 갖고 단계적으로 접근하는 중요성을 강조합니다.

5. "소크라테스 익스프레스" (Socrates Express) - 에릭 와이너

인생의 중요한 질문들에 대해 철학자들의 사상을 통해 탐구하며, 즉각적 만족보다 지속적인 가치를 추구하는 방법을 제시합니다.

6. "언제까지나 따뜻한" - 김용택
시인의 따뜻한 시와 에세이로, 바쁜 일상에서 잠시 멈추고 주변을 둘러보며 삶의 소중한 가치를 발견하게 해줍니다.

7. "멈추면 비로소 보이는 것들" - 혜민 스님
마음의 평안을 찾고 현대사회의 빠른 속도에서 벗어나 자신의 내면을 돌아보는 법을 알려주는 에세이입니다.

8. "지금 여기 깨어 있기" - 법륜 스님
마음의 평화와 인생의 의미를 쉽고 명쾌한 언어로 탐구하며, 성급함을 넘어서는 깊은 통찰을 얻을 수 있습니다.

9. "일의 기쁨과 슬픔" - 장류진
단편소설집으로 현대인의 일상과 삶에 대한 이야기를 담고 있습니다. 바쁜 일상에서 벗어나 작은 기쁨을 발견하는 법을 모색하게 합니다.

10. "내 삶의 의미를 찾는 시간" - 하완
인생의 목적과 행복을 찾아가는 과정을 담은 책으로, 자신만의 삶의 의미를 발견하는 여정을 제안합니다.

이 책들은 현재 순간에 집중하고, 마음의 평화를 찾으며, 삶의 속도를 조절하는 데 도움이 될 것입니다. 차분하고 집중할 수 있는 자세로 상대방의 이야기에 귀 기울일 수 있게 해줄 것입니다.

에필로그

경청, 연결의 시작

많은 분들이 경청의 중요성에 대해 입버릇처럼 말하지만, 실제로 그 의미를 깊이 있게 이해하고 실천하는 이는 많지 않습니다. 저 역시 상담사로 일하며 수많은 고객들의 이야기를 듣고는 있었지만, 진정한 경청이 무엇인지에 대해서는 오랜 시간 고민해야 했습니다.

15년이라는 긴 상담 경력 동안 저는 각기 다른 사연을 가진 수많은 분들을 만났습니다. 그들의 이야기 속에는 가슴 아픈 아픔과 기쁨이 공존했습니다. 때로는 고객분들의 말 한마디 한마디에 힘을 실어 함께 울고 웃기도 했습니다. 그 과정에서 비로소 듣는 것의 진정한 의미를 깨달을 수 있었습니다.

상담실 밖에서도 제게는 경청의 기회가 많이 있었습니다. 바로 가족들과의 대화 시간이었지요. 사랑하는 가족들과 마주하고 서로의 말에 귀 기울일 때면, 경청을 통해 우리 관계가 얼마나 발전할 수 있는지를 절실히 느낄 수 있었습니다.

때로는 서로의 말 한마디에 오해가 생기기도 했고, 부적절한 반응으로 상처를 주고받기도 했습니다. 하지만 우리는 그때마다 경청과 이해의 자세로 돌아가 마음의 문을 열었습니다. 그렇게 서로의 진심을 받아들이고 존중하며, 우리 가족은 더욱 돈독해질 수 있었습니다.

이 책을 집필하면서 저는 경청이라는 기술이 단순히 잘 듣는 것 이상의 의미가 있음을 다시금 깨달았습니다. 경청은 인간관계를 유지하고 발전시키는 데 필수적입니다. 우리가 상대방의 말에 주의를 기울이고 그들의 입장에서 생각해본다면, 서로에 대한 이해의 폭도 넓어지고 유대감도 깊어질 것입니다.

듣는 것은 말 그 이상의 가치가 있습니다. 상대방에게 존중과 사랑을 전하는 행위이기 때문입니다. 이는 태어나면서부터 가지고 있는 능력이 아니라 연습과 노력을 통해 길러 나가야 하는 기술입니다. 우리 모두가 매일의 대화 속에서 경청을 실천해 나간다면, 그 효과를 곧 체감할 수 있을 것입니다.

가족들, 친구들, 동료들과 더 깊은 유대감을 맺게 될 것입니다. 서로의 마음을 이해하게 되면서 보다 원활한 소통의 장을 열 수 있을 것입니다. 때로는 오해와 갈등도 있겠지만, 경청을 통해 그 갈등을 해소해 나갈 수 있습니다. 상대방을 배려하고 존중한다는 마음가짐으로 대화에 임한다면, 우리는 더 나은 관계를 만들어갈 수 있을 것입니다.

이 책이 여러분의 인생에 조금이나마 도움이 되기를 바랍니다. 이를 통해 가족들, 친구들, 동료들과 더욱 돈독한 관계를 맺을 수 있기를 희망합니다. 우리 모두 주위 사람들에게 경청이라는 선물을 아낌없이 나누었으면 합니다.

여러분의 앞날에 행운과 사랑이 가득하길 빕니다. 그리고 대화의 기술과 마음가짐을 갖추어 오늘보다 더 행복한 내일을 만들어 가시기를 기원합니다. 진심으로 감사드리며, 여러분 모두가 풍성한 대화를 나누시길 바랍니다.

감사합니다.